KB172088

껍데기 개화는 가라

껍데기 개화는 가라

한국 근대 유학 탐史

노관범 지음

푸른역사

지은이의 말

한국의 마지막 유학자는 누구일까? 어려운 질문이다. 대개 한국사 교과서의 지식은 조선 말기 척사운동과 의병운동에서 멈추어 있다. 그러니까 이항로(1792~1868), 최익현(1833~1906), 유인석(1842~1915) 이후에는 이름이 잘 떠오르지 않는다. 하지만 사전과 뉴스는 이와 다르다. 《민족문화대백과사전》 '김황(1896~1978)' 항목을 보면 그가 전통사회와 현대사회를 연결하는 마지막 유학 종장의 구실을 했다는 서술이 보인다. 김황이 마지막이었을까? 구글에서 '마지막 유학자'를 검색하면 근래에도 마지막 유학자의 타계 소식이 있었음을 발견한다.

이 책은 한국 역사에서 잊힌 한국 근대 유학자를 불러서 그들이 전해주는 이야기를 새롭게 생각해보고자 하는 시도이다. '마지막 유학자'가 그들을 존재론적으로 설명하는 전부일 수는 없다. 그들이 남긴 문집에는 그들의 이야기, 그들이 체험했고 사유했고 부르짖은 그들의 이야기가 담겨 있다. 근대 한문으로 전달되는 그들의 이야기는 국한문 근대와 다른 한문 근대의 상상력을 북돋는다. 근대 문집이 문예적으로는 전근대 문집보다 후퇴했을지는 모르나 전근대 문집에 보이지 않는 근대의 체험과 사유는 근대 문집의 가치를 높여준다.

이것이 지은이가 이 책을 기획한 이유이다. 근대 한문으로 전달되는 한문 근대를 재조명해보자는 것이다. 틀에 박힌 근대화 이야기에서 벗어난 한국 근대 사상사의 가능성을 근대 문집에서 찾아보자는 것이다. 이 책이 나올 수 있었던 직접적인 배경은 2019년 한국학호남진흥원 연재물 '근대 유학 문선'이다. 예전에 한국고전번역원 원고를 쓰면서 한국 유학자의 문집 소품을 번역하고 이를 평설했는데 이번에는 근대 유학자에 집중하였다. 2014년 출판된 《고전통변》과 마찬가지로 고전 읽기와 역사 평설의 결합을 추구하되 근대의 현장을 부각했다는 의미가 있다.

이 책은 전체 3부 9장 18절로 구성되어 있다. 제1부는 〈세상〉이다. 제1장 '개화 세상의 허실'에 수록된 호남 곡성 정일우의 글은 당대의 '껍데기 개화'의 문제점을 비판했다. 호남 고창 유영선의 글은 당대를 추종하지 않고 '수구'로서 저항하겠다는 결의를 보였다. 제2장 '사회 변화의 열망'에 수록된 영남 의령 이관후의 글은 동학농민운동 당시 지방의 호족이 유독 화를 당한 이유를 살폈다. 호남 장성 공학원의 글은 국망 후 선비의 타락을 개탄하며 농부로 돌아가겠다는 결심을 보였다. 제3장 '문물제도의 신설'에 수록된 영남 밀양 안종덕의 글은 지금은 잊힌 대한제국 비원의 존재를 드러냈다. 경기 개성 손봉상의 글은 식민지 시기 개성부립박물관의 설립을 전했다.

제2부는 〈역사〉이다. 제4장 '조선 말기의 기억'에 수록된 호남 능주 양재경의 글은 임오군란부터 경술국치까지 국망의 역사를 총평했다. 호남 남원 김종가의 글은 한국 광복사에 서린 하늘의 뜻을 반추했다. 제5장 '중국 혁명의 여파'에 수록된 호서 청양 임한주의 글은 신해혁명 직후 공화정을 논의했다. 호남 옥구 임병찬의 글은 메이지가 사망한 후 조직된 독립의군부의 투쟁 방략을 밝혔다. 제6장 '한국 독립운동의 현장'에 수록된 황해 황주 박은식의 글은 서간도 한인사

회의 임경업 제사를 통해 한중 연대를 통찰했다. 호남 고흥 송주헌의 글은 1919년 고종독살설과 유림의 독립운동을 서술했다.

제3부는 〈학문〉이다. 제7장 '한문 서학의 인식'에 수록된 영남 봉화 권상규의 글은 재중 서양 선교사 티모시 리처드가 한문으로 번역한 세계사 《태서신사남요》의 독후감이다. 영남 함양 이병헌의 글은 박은식이 《대한매일신보》에 소개한 서양 선교사 길버트 리드의 〈광신학이보구학설廣新學以輔舊學說〉의 독후감이다. 제8장 '해외 학문의 자각'에 수록된 영남 안동 송기식의 글은 서양의 학설에 비추어 현대 유학을 창조할 수 있음을 논했다. 영남 청도 장화식의 글은 일본 퇴계학에 비추어 조선의 퇴계학을 혁신할 수 있음을 논했다. 제9장 '유학 전통과 현대'에 수록된 경화벌열 김윤식의 글은 현대사회에서 유교가 천하의 종교로서 대동의 교화를 펼치기를 희망했다. 경기 강화 이건방의 글은 서양 학문에 매몰되어 중국과 조선의 전통 유학을 백안시하는 세태를 가짜 신학문이라고 비판했다.

돌이켜보면 지은이가 한국 근대 유학에 관심을 두기 시작한 것은 30년 전 대학생 시절로 거슬러 올라간다. 그 무렵 우연히 서점에서 만난 금장태 선생님의 《유학근백년》을 읽고 기호와 영남의 주요 학맥에 속하는 근대 도학자를 알게 되었다. 책에 나오는 이들의 행적과 저술을 즐거운 마음으로 하나하나 노트 필기했다. 그 후 학부 졸업논문으로 송병선(1836~1905)의 생애와 학문을 정리한 것도 그 영향이었다. 20세기 말의 대학생이 20세기 초의 유학자와 접속하다니 그 느낌이 남달랐다. 대학원에 진학한 뒤에도 정옥자 선생님의 지도를 받아 사상사 공부를 하면서 꾸준히 근대 문집에 관심을 기울였다.

즐겁게 시작한 근대 문집 읽기였고 지금도 즐겁게 읽고 있다. 지은이로서는 나름대로 생각을 짜내 재미있는 글감을 고르고 또 이를 재미있게 전하고자 했는데 독자 여러분께서도 그렇게 느끼실지 모르겠다. 첫 번째 글 〈껍데기 개화는 가라〉에서 마지막 글 〈가짜 신학문을 비판한다〉까지 단숨에 독파하실 수 있으면 좋겠다. 의도한 것은 아니었지만 첫 번째 글 제목과 마지막 글 제목이 서로 호응한다. 한국 근대의 '껍데기 개화'와 '가짜 신학문'이 주조한 낡은 학술 관념으로부터 자유로울 그날이 올까? 지은이는 조선의 '마지막 유학자'가 실은 근대 성찰의 '선구적 유학자'임을 자각한다.

글을 마치기 전에 푸른역사 박혜숙 대표와의 인연을 기록하고 싶다. 일곱 해 전 푸른역사아카데미에서 《고전통변》 서평회가 열렸다. 이와 닮은 근대 유학 문선文選을 푸른역사에서 출간하게 되어 기쁨과 감사의 마음을 전한다. 아울러 사랑하는 가족에게도 이 책이 작은 보답이 되기를 희망한다. 이 책에 실린 18편의 글을 갖고 18주 강독 세미나를 할 수 있을까? 어서 코로나가 진정되면 좋겠다.

2021. 8. 15.

규장각 연구실에서

노관범

가다

차례

1부

세상

1. 껍데기 개화는 가라

껍데기는 가라. 사월도 알맹이만 남고 껍데기는 가라. 시인 신동엽의 시는 유명하다. 이것은 4·19 이후 한국 사회에서 피어나는 어떤 자각의 표현이다. 그러나 그보다 더 오래된 껍데기가 있다. 그보다 더 오래된 자각이 있다. 근대 호남 지식인 정일우丁日宇가 전하는 껍데기 개화, 그는 과연 무엇을 말하고자 하는 것이었을까?

〔번역〕

근래 어떤 화가가 〈여산폭포도廬山瀑布圖〉를 그렸는데 푸른 산에서 흰 폭포가 쏟아지는 모습이었다. 그런데 그 그림 옆에서 동자 한 명이 향로를 받들고 있었는데 자욱한 보랏빛 연기가 뿜어져 나오고 있었다. 그 까닭을 물었더니 이렇게 말했다. "이태백李太白의 시[1]를 보지 못했소? '햇빛은 향로를 비추니 보랏빛 연기가 생기네'[2]가 이것이오." 듣는 사람이 코를 가리고 말했다. "이 향로는 산봉우리 이름이오. 진짜 그런 그릇이 있는 게 아니오. 그대는 잘못 생각했소." 또 〈적벽범주도赤壁泛舟圖〉를 그렸는데, 기다란 선이 몇 폭을 가로질러 가면서 끊기고 이어지고 들쭉날쭉 하기를 계속하였다. 그 까닭을 물었더니 이렇게 말했다. "소동파의 부賦[3]를 보지 못했소? '강물은 소리 내어 흐르고 끊긴 언덕이 천 척이나 되네'가 이것이오." 듣는 사람이 글귀를 풀이해주었다. "그런 뜻이 아니오. 가을 강물[4]에 저녁놀이 지자 강안이 굽이굽이 솟아서 마치 천 척이나 끊긴 것 같다는 것이지 실제로 강안이 끊기고 이어지고 하며 길게 가로질러 가는 것이 아니오.

---

1 이백이 지은 〈망여산폭포望廬山瀑布〉이다.

2 본래는 '햇빛은 향로봉을 비추니 붉은 노을이 지네'라는 뜻이다.

3 소식蘇軾이 지은 〈후적벽부後赤壁賦〉이다.

4 소식의 〈후적벽부〉에서 묘사되고 있는 적벽은 음력 10월 보름, 곧 초겨울의 적벽이므로 가을 강물이란 표현은 정확하지 않다.

그대는 잘못 생각했소." 이에 그 그림은 잘 그리긴 했지만 쓸모가 없어 버려지고 말았다.

아, 지금의 이른바 '말끝마다 개화語稱開化'라는 게 이와 무엇이 다른가. 개화란 '개물성무開物成務'[5]와 '화민성속化民成俗'[6]을 이르는 말이다. 정교와 명령에 확고하게 힘써서 번쇄하고 진부한 정치를 없애 한결같이 편리하고 간단한 일을 따르며 고금을 참작하고 장단을 취사하여 지식의 발달에 힘써서 날로 문명에 나아간다면 이것이 진정 개화를 잘하는 것이다. 만약 실제에는 힘쓰지 않고 한갓 민첩하고 경박한 태도로 개명의 말단이 되는 일을 억지로 흉내 내서 분분하게 겉모습을 꾸몄으나 그 속을 보면 한 가지 일도 개명한 사람과 실제 비슷한 데가 없다면 이것은 개화를 해치는 것이다. 어찌 개화라고 이를 수 있겠는가. 대개 보기 좋고 듣기 좋은 도구나 몸에 편리한 일이 있으면 신기하다고 과장하는 버릇

---

5 《역易 계사繫辭》에 '역易은 사물을 열어주고 일을 이루어 천하의 도를 포괄한다夫易, 開物成務, 冒天下之道'는 구절이 있다. 주희朱熹는 '개물성무는 점을 쳐서 길흉을 알아 사업을 이루는 것開物成務, 謂使人卜筮, 以知吉凶而成事業'으로 풀이했다.

6 《예기禮記 학기學記》에 '군자가 백성을 교화해 풍속을 이루고자 한다면 반드시 학문을 통해야 한다君子如欲化民成俗, 其必由學乎'는 구절이 있다.

을 붙여 기뻐하면서도, 정성껏 노력하고 피폐하게 몸을 수고해야 하는 일이나 애간장을 태워가며 지혜를 짜내고 정신을 다해야 하는 술법에 대해서는 하나같이 모두 가차하고 모방하여 능히 진상을 행하고 실지를 얻지 못해 마침내 호랑이를 그리다 만 것으로 귀결한다. 더러 혼잣속으로 그림을 잘 그린다고 자만하는 사람도 필경 향로를 그리고 끊어진 강안을 그려서 버려진 그림과 같은 신세를 면하지 못할 것이다. 오호라, 슬프도다.

〔원문〕

近有一畵師, 畵廬山瀑布圖, 爲靑山白練之勢, 而傍畵一童子, 奉香爐, 噴霏霏紫焰之烟. 問其故, 曰不見李太白之詩乎? 日照香爐生紫烟是也. 聞者掩鼻, 曰是香爐峯名也, 非眞有其器也, 子誤矣. 又畵赤壁泛舟圖, 爲長線橫拖數幅, 或斷或續, 連絡參差. 問其故,

則曰不見蘇東坡之賦乎? 江流有聲斷岸千尺是也. 聞者解之, 曰非是之謂也, 秋水旣落, 江岸迴峙, 故有若千尺之斗絶也, 非實有斷續之岸橫拖其長也, 子誤矣. 於是其畵雖工, 卒無用而棄之. 噫! 今之所謂語稱開化者, 亦何以異是? 夫開化者, 開物成務化民成俗之謂也. 凡政敎命令確然奮勵, 去其煩碎陳弊之政, 而一從便利簡易之務, 叅古酌今, 捨短取長, 務人智發達日就文明, 則是眞開化之善者也. 如其不務實際, 而徒爲儇捷輕薄之態, 强欲摸効開明之末事, 紛紛然梔蠟其貌, 而叩其中, 無一事實類開明之人, 然則是開化之賊也, 惡得謂開化也哉? 盖其耳目玩好之具, 身體便利之事, 爲其新奇誇張之習而悅之, 至於殫誠勞力疲精役體之事, 與熏心焦肝鍊智究神之術, 一皆假借依倣, 未能做其眞象得其實地, 終乃歸之於畵號之不成矣. 其或囂囂然自謂工於摸繪者, 亦必未免於畵香爐畵斷岸之棄物矣. 嗚呼悲夫!

[출처] 정일우丁日宇, 《율헌집栗軒集》〈개화開化〉

〔해설〕

호남 곡성의 정일우는 근대 장서가로 유명하다. 그가 사는 묵용실默容室에는 7대에 걸쳐 수집된 '만권서사萬卷書史'가 있었다. 서울에서 멀리 떨어진 고을의 향리 가문에서 만 권 책을 지켜온 것은 보기 드문 일이었다. 고려 국왕 충선왕이 세운 만권당萬卷堂도 역사의 뒤안길이 되고 말았다. 조선 선비 이하곤李夏坤이 세운 만권루萬卷樓도 필경은 책이 흩어졌다. "도둑맞지 말고 탕진하지 말고 꼭 세간의 '독서종자讀書種子'를 위한 공공재가 되도록 해라." 1923년 병석에서 남긴 말을 명심한 그의 아들 정봉태丁鳳泰는 9년 후 묵용실의 고서 728종 9,458책을 연희전문학교에 기증했다. 다시 37년 후 정봉태의 아들 중문학자 정래동丁來東도 고서 106종 1,475책을 성균관대학교에 기증했다. 한국 대학 도서관의 고문헌 수집의 역사에서 묵용실 고서의 행방은 중요한 토픽의 하나이다.

묵용실의 집안 도서가 대학 도서관의 공공 도서로 변화한 것은 사회의 공공 이익을 위한 일종의 도서 '공 개념'이 출현했음을 알려주는 사건인데, 이는 역사의 흐름에서 나온 것이었다. 정일우가 살았던 시기는 조선 왕국이 대한제국으로 국체를 변경하고 근대 국가 건설을 추진하다 일본에 국권이 피탈되어 끝내 망국의 고통을 겪었던 혼란스런 때. 일본에 빼앗긴 국권을 되찾기 위해서는 실력을 양성해야 하고 그러자면 교육과 실업을 강화해서 공공의 이익을 증진해야 한다는 주장이 솟구쳤다. 이런 분위기에서 정일우는 세계 만국의 경제를 이어주는 상업을 자기 시대의 급선무로 보았다. 상업의 발달을 위해서는 상업의 원리와 현실을 이해하는 실용 학문을 제대로 배워야 하고 시장경제에서 상품 가치가 정직하게 구현되어야 한다고 생각했다. 그는 세상의 상인이 소리小利를 탐내 사기 치는 것이 상업의 대도를 모르는 큰 문제라고 경계했는데, 이는 그의 절친한 벗 장지연張志淵이 사부私富가 아닌 공부公富의 축적을 외치면서, 당시 면화를 적셔 무게를 속이거나 부실공사를 해서 사고를 내거나 외국인에게 토지를 불법으로 팔거나 해서 부정한 사리私利를 얻는 세태를 비판했던 것과 일치하는 관점이었다.

상업의 대도가 무엇인지 아는 상인과 상업의 소소한 이익에 매몰된 상인은 같을 수가 없다. 상업을 잘하는 상인과 상업을 해치는 상인이 같을 수는 없다. 개화 역시 마찬가지의 문제였다. 개화냐 아니냐가 중요한 것이 아니라 개화를 잘하느냐 아니면 개화를 해치느냐가 중요한 것이었다. 개화의 이치도 모르면서 개화의 겉치장으로 자기 한몸 번드르르하게 꾸미는 개화쟁이와 개화의 대도를 알아 개화의 참뜻으로 자기 한몸 치열하게 수고하는 개화의 일꾼이 같을 수는 없었다. 내가 이래 봬도 이태백의 여산폭포를 그리는 사람이야 하며 이태백의 뜻과 다르게 보랏빛 향로를 꾸며대는 태도, 내가 이래 봬도 소동파의 적벽을 그리는 사람이야 하며 소동파의 뜻과 다르게 끊어진 강안을 꾸며대는 태도, 이런 태도로 그린 그림이 폐기 처분될 수밖에 없는 것은 자명한 이치! 그것이 껍데기 개화의 말로가 아닐까? 1906년 7월 6일자 《황성신문》 논설은 〈껍데기 개화의 커다란 폐해[皮開化之大弊]〉를 논하였다. 갑오개혁 이후 한국 사회는 개화! 개화! 하며 제도를 개혁하고 학교를 설립하며 개화에 노력했지만 어째서 나라가 쇠망에 빠졌는가? 대충 보고 들은 설익은 지식으로 개화를 치장하고 개화를 행세한 구이口耳의 개화, 그 껍데기 개화 때문이었다. 같은 해 《대한매일신보》는 공부해서 속에 든 것도 없고 그저 양복, 외투, 모자, 안경, 궐련, 시계, 죽장으로 치장한 껍데기 개화의 풍속도를 전하고 있다. 만 권 책의 장서가 정일우가 비판한 한국의 껍데기 개화, 오늘날의 한국 사회는 과연 껍데기 개화에서 완전히 벗어났는가?

2. 나는 수구, 세상에 저항한다

세상이 탁한데 나 홀로 깨끗하고 세상이 취했는데 나 홀로 깨어 있네. 굴원屈原의 슬픔이다. 세상이 탁하면 나도 탁하고 세상이 취했으면 나도 취하리. 어부의 지혜이다. '여세추이與世推移'의 경지이다. 나라가 있을 때에도 '여세추이'는 떳떳하지 못했다. 이항복李恒福은 어느 날 수박을 선물받자 광해군의 조정에서 타협하는 자신의 '여세추이'를 비판하는 뜻임을 알아차렸다. 하물며 나라가 없어진 뒤의 '여세추이'는 무엇이었을까? 1912년 호남 유학자 유영선柳永善(1893~1961)은 영남에서 온 손님과 문답을 나누었다. '수구守舊'를 붙들 것인가? '여세추이'로 돌아설 것인가? 그는 추호도 망설임이 없었다.

〔번역〕

현곡玄谷 주인이 곤궁한 집에 틀어박혀 세상을 붙좇지 않고, 새것을 싫어하며 수구守舊를 한 지 몇 년 되었다.

하루는 경상 좌도에서 손님이 왔다.

"성인聖人은 세상과 함께 옮겨가는데 그대는 어찌 괴롭게 그리 지내시오?"

주인은 묵묵히 한참을 있었다.

"성인은 일이 이치에 해롭지 않은 것은 속세를 따르지만 이치에 해로우면 따르지 않으오. 만약 일이 이치에 해로운지 여부를 묻지 않고 세상과 함께 옮겨간다면 성인이라는 것이 도리어 물 위의 조롱박[7]이니 어찌 성인을 귀하게 여기겠소?"

손님이 대번에 대꾸했다.

"심하도다, 그대의 오만함이여. 내 듣기로 성인을 귀하게

---

7 원문의 수상호로水上葫蘆는 불교 용어인데 대혜大慧 종고宗杲 어록에 따르면 '자유자재로 다녀 구속이나 견제받지 않고 깨끗한 곳 더러운 곳 드나들며 막히지도 않고 가라앉지도 않는다自由自在, 不受拘牽, 入淨入穢, 不礙不沒'라고 하였다.

여기는 것은 시중時中[8] 때문인데, 변통을 하지 않는다면[9] 어느 하나만 고집하는 것이니 어느 하나만 고집한다면 어찌 도를 해치지 않겠소? 태백太伯이 형만荊蠻에 달아나 그 풍속을 따라 단발을 하고 문신을 했는데 공자는 지극한 덕이라 칭찬했으니[10] 이것이 세상과 함께 옮겨가는 일이 아니겠소?"

주인은 무연했다.

"그대가 말하는 '시중'은 군중을 따르는 일이지 우리 성인의 시중이 아니니 성인을 무욕誣辱하는 잘못이 어느 쪽이 더 크오? 태백이 단발하고 문신한 것은 그가 천하를 사양하기 위해서였소. 단발하고 문신해서 세상에 버려진 사람이 되었음을 알린 뒤에야 계력季歷의 마음을 편안하게 하고 태왕太王의 뜻을 지킬 수 있었으니[11] 이것이 태백의 '지극한 덕'이 되

---

8 《중용》 제2장에 '군자가 중용의 도를 행하는 것은 군자의 덕으로 때에 맞게 하기[時中] 때문이다君子之中庸也, 君子而時中'라는 구절이 있다.

9 원문은 교주고슬膠柱鼓瑟인데, 이 말뜻은 거문고의 기러기발을 아교로 붙여 고정시켜 놓아 제대로 연주할 수 없게 만드는 것으로 변통할 줄 모르는 고지식함을 가리킨다.

10 《논어 태백太伯》에 '태백은 지극한 덕이라 이를 만하다太伯其可謂至德也已矣'는 공자의 칭찬하는 말이 있다.

11 주나라 태왕이 막내아들 계력의 아들 창昌(후일의 문왕)에게 성덕이 있음을 보고 계력에게 왕위를 전하고자 하니, 태왕의 맏아들 태백은 아우 중옹仲雍과 함께 형만

는 까닭이오. 만약 태백이 이것을 위해 단발하고 문신한 것이 아니라면 어찌 성문聖門의 죄인에서 벗어날 수 있겠소?"

손님이 아연 다시 청했다.

"《중용》을 보면 현재 이적夷狄의 위치에 있으면 이적에 맞게 행동하라고 했고[12] 지금의 세상을 살면서 옛 도로 돌아가면 재앙이 그 몸에 미친다고 했으니[13] 이 말이 무슨 뜻이겠소? 나는 이적의 세상을 살면 이적의 일을 하고 지금 세상을 살면 지금의 일을 해야 한다고 생각하오."

주인이 정색했다.

"그대 모습을 보니 어리석고 몰지각한 무리와 떨어져 있지 않은데 감히 성인을 들먹인단 말이오?"

손님이 말했다.

으로 떠났다.

12 《중용》 제14장에 '부귀의 위치에서는 부귀에 맞게 행동하고 빈천의 위치에서는 빈천에 맞게 행동하며, 이적의 위치에서는 이적에 맞게 행동하고 환난의 위치에서는 환난에 맞게 행동하니, 군자는 어디에 들어가도 자득하지 않음이 없다'는 구절이 있다.

13 《중용》 제28장에 '어리석은데 자기 생각을 쓰기를 좋아하고 비천한데 자기가 전횡하기를 좋아하며 지금 세상에 태어나 옛 도로 돌아간다면 이와 같은 자는 재앙이 그 몸에 미친다'는 구절이 있다.

"그대의 밝은 가르침을 원하오."

주인이 말했다.

"(그대가 말한) 《중용》 제14장은 현재 처한 위치를 보고 마땅히 해야 할 바를 하라고 말한 것이오. 그래서 부귀와 빈천과 이적과 환난을 차례로 말하면서 어디에 들어가도 자득하지 않음이 없다고 하였소. (그대가 말한) 《중용》 제28장은 자기 생각을 쓰고 자기가 전횡하는 잘못을 말한 것이오. 그래서 지금 세상에 태어나 옛날로 돌아가면 재앙이 미친다고 경계하였소. 여기서 지금 세상이라는 것은 곧 주나라가 앞의 두 시대를 본보기 삼아 찬란하게 빛났다[14]는 때이니 폭군이 인륜을 어지럽히고 오랑캐가 중화를 어지럽히는 날을 함부로 가리키지 않소. 만약 그대의 소견대로라면 '당하자연當下自然'[15]이 제일의 도리가 되는데 무슨 까닭에 성인이 괴롭고 괴

14 《논어 팔일八佾》에 '주나라는 앞의 두 시대의 제도를 본보기로 절충하여 문화가 찬란하게 빛났다. 나는 주나라를 따르겠다'는 구절이 있다.

15 양명학의 본체관을 표현하는 어구이다. 왕수인王守仁의 문인 왕기王畿에 따르면 양지는 "영명靈明함을 바탕으로 현재現在함을 자각하는 모든 사람들의 마음 속에 곧바로 드러나며 이러한 드러남과 현재함은 양지의 고유한 자연적 능력이다"(이상훈, 2012, 〈왕용계 사상에 대한 주요 의난과 논변 고찰〉, 《유학연구》 27, 419면). 유영선柳永善의 스승 전우田愚는 '당하자연'을 명말 양명학자 이지李贊의 종지라고 보았다.

롭게 경계하는 말을 했겠소?"

손님은 마침내 지팡이를 던져버리고 두 번 절했다.

"제가 도를 들었소이다. 군자가 아니었다면 거의 이번 생을 그르칠 뻔했소이다."

〔원문〕

玄谷主人杜門窮廬, 不肯與世追逐, 而厭新守舊者有年. 一日客自嶺左而來, 曰聖人與世推移, 子何苦乃爾? 主人默然良久, 曰聖人於事之無害於理者從俗, 而害於理則不從, 若不問其事之害理與否而但與世推

之所不及者則安可與彼而躋此同列於秦晉隋也若不覩其政治而徒
以得國之善否槩之則亦無勸懲之意矣曰吾子之論森嚴正當而此係
是大義理關頭幸就正于海上而反以教我玆記其答問遂寘質于艮翁
先生則曰所論博洽精詳不易見得到此客聞之曰命之矣

野舍問答 壬子

玄谷主人杜門窮廬不肯與世追逐而厭新守舊者有年一日客自嶺左
而來曰聖人與世趨移子何苦乃爾主人默然良久曰聖人於事之無害
於理者從俗而害於理則不從若不問其事之害理與否而但與世趨移
則所謂聖人者乃一水上葫蘆何貴乎聖人客乃率爾而應曰甚矣子之
傲也吾聞所貴乎聖人者以其時中若膠柱鼓瑟則亦執一也執一豈不
賊道乎泰伯逃之荊蠻而從其俗斷髮文身孔子稱之以至德此非與世
趨移者耶主人憮然曰子之所謂時中乃從衆之事而非吾聖人之時中

곧 이지는 '당하자연'을 종지로 삼아 사람들마다 모두 현성見成의 성인聖人이라고 말해 천하에 함정을 만들었다는 것이다. 그는 육구연의 '당하변시當下便是'와 이지의 '당하자연當下自然'이 모두 도에 해로운 발상이기 때문에 이에 대항해 '당하당연當下當然'을 위학爲學의 요점으로 삼는다 하였다. 즉 앞뒤를 생각지 말고 이해를 헤아리지 말고 목전에서 이치에 합당함만을 보라는 것이다(田愚, 《艮齋文集前編》 권 4 〈答朴應瑞-轍在〉; 권 15 〈看李贊書識感〉; 田愚, 《艮齋文集後編》 권 6 〈答崔炳翊〉; 권 8 〈與高東是崔基俊〉).

移, 則所謂聖人者乃一水上葫蘆, 何貴乎聖人? 客乃率爾而應, 曰甚矣, 子之傲也! 吾聞所貴乎聖人者, 以其時中, 若膠柱鼓瑟, 則亦執一也. 執一豈不賊道乎? 太伯逃之荊蠻, 而從其俗斷髮文身, 孔子稱之以至德, 此非與世推移者耶? 主人憮然, 曰子之所謂時中, 乃從衆之事, 而非吾聖人之時中也. 誣辱聖人孰大焉? 太伯之斷文, 以其讓天下也. 斷文而使知爲棄人, 然後可以安季歷之心而守太王之志. 此太伯之所以爲至德也. 若太伯非爲此而斷文, 則烏得免聖門罪人乎? 客忽訝然而更請, 曰思傳素夷狄行乎夷狄, 居今世反古道, 災及其身, 此言何謂? 吾則以爲居夷狄則行夷狄之事, 居今世則行今之事. 主人正色, 曰觀君狀貌, 不離於蒙騃沒覺之流, 而敢議到聖人耶? 客曰願吾子明敎之. 主人曰思傳十四章, 言其見在所居之位而行所當爲之事, 故歷言富貴貧賤夷 狄患難, 而曰無入而不自得. 二十八章, 言其自用自專之非, 故戒生今反古之災及. 其所謂今之世乃周監二代郁郁文哉之時, 非泛指暴君亂倫裔戎亂華之日也. 若如子所見, 則只當下自然爲第一等道理, 何故聖人苦苦垂戒耶? 客乃投杖而再拜, 曰僕聞道矣. 若非君子, 幾誤此生矣.

[출전] 유영선柳永善, 《현곡집玄谷集》 권10 〈야사문답野舍問答〉

〔해설〕

새 천 년 들어와 자주 썼던 메일체에 서술어 종결어미 '당'이 있다. 그리 갑니당. 넘 재미있습니당. 이 표현 방식은 오래되었다. 《대동기문》에 의하면 어느 비 오는 밤 두 나그네가 서로 장기를 두다가 심심풀이로 '공'과 '당'의 운을 써서 문답을 나누었다.

"무엇 하러 서울에 가는공."

"녹사 하러 올라간당."

"내가 그대를 위해 얻어줄공."

"우습다. 당치도 않당."

이것이 맹사성孟思誠의 유명한 〈공당문답公堂問答〉이다.

공당문답과 달리 진중한 문답들도 많았다. 이이의 〈동호문답東湖問答〉, 홍대용의 〈의산문답醫山問答〉, 유인석의 〈우주문답宇宙問答〉은 조선 유학자의 삼대 문답이라 칭해도 좋을 정도로 걸출하다. 〈동호문답〉은 사가독서제에 따른 독서당 과제물이었지만 도학적 경세론에 입각한 정치 개혁의 의지가 충만했다. 유계兪棨는 이를 이어받아 〈강거문답江居問答〉을 지어 논의를 확장했다. 대한제국기에는 구국의 방안을 논한 작품 〈서호문답西湖問答〉이 《대한매일신보》에 연재되었다. '동호자東湖子'가 묻고 '서호자西湖子'가 답하는 형식을 통해 동호의 구시대가 저물고 서호의 신시대가 도래했음을 직감할 수 있다. 이에 앞서 송병선宋秉璿의 문인 이도복李道復은 《대한매일신보》에 〈서호문답〉을 투고해 을사오적을 필주했다.

전우田愚의 문인 유영선의 〈야사문답〉은 국망 직후의 작품이다. '수구'를 붙들 것인가, '여세추이'로 돌아설 것인가? 이적의 세상에서는 이적의 세상살이를, 지금의 세상에서는 지금의 세상살이를. 나그네는 끊임없이 집주인에게 '여세추이'를 설득한다. 세상 속에서 어떻게 살 것인가를 강조한다. 그러나 집주인은 나그네를 설득한다. 어떻게 살 것인가보다 중요한 것은 무엇을 위해 살 것인가이다. 이적의 세상, 지금의 세상이 되었다고 사람으로서 지켜야 할 사람다운 도리가 폐기되는 것은 아니다. 세상의 '자연自然'보다 중요한 것은 천리의 '당연當然'이다.

'여세추이'인가? '수구'인가? 이것은 전우의 문하에서 중요한 문제였다. 1921년 생애 말년의 전우가 자손과 문인에게 남긴 글이 있다. 요즈음 사람들은 입만 열면 '고금이의古今異宜', '여세추이'를 말하지만 자신의 70여 년 독서는 '수구'의 한길이었으며 "시세가 변한들 내가 어찌 감히 변할까?"를 말했던 정이程頤의 뜻을 본받아 결코 유속流俗에 휩쓸리지 말라는 것이었다. '수구'는 국망 이전부터 전우의 한결같은 지론이었다. 신문사와 학회가 '멸망'이라는 말로 사람들을 협박해 신학新學에 들어가게 하지만 차라리 구학舊學을 지키다 죽겠다는 것이 그의 심정이었다. 국망 이전이든 이후이든 그에게 '수구'는 세속적인 세상에 대한 비타협이며 저항이었다.

그러면 전우의 '수구' 혹은 유영선의 '수구'는 연원이 오래된 것일까? 그렇지 않다. 조선시대의 '수구'는 대개 술어적으로 '○守舊○'로 쓰였고 '순상수구循常守舊'라는 말에서 보듯 하던 대로 한다는 '인순因循'의 뜻에 가까웠다. 비타협과 저항으로서의 '수구'는 근대에 출현하였다. 일본에서는 1877년 서남전쟁을 일으켜 메이지 정부에 저항한 구식 사무라이 집단을 '수구'라 일컬었고, 조선에서는 1894년 갑오개혁 이후 정부의 '개화'에 반대하거나 저항하는 선비를 '수구'라 일컬었다. '수구'라는 이름의 저항은 미증유의 사건이었다.

'수구'는 달라진 세상에 대한 다양한 저항 방식의 하나였다. 유인석은 조선 정부가 단발령을 강행하자 사우를 모아

'처변삼사處變三事'를 의논했다. 그 세 가지는 거의소청擧義掃淸, '거지수구去之守舊', '자정수지自靖遂志'였다. 유인석의 의병이 '거의소청'에 해당하고 송병선의 자결이 '자정수지'에 해당한다면 전우의 선택은 '거지수구'의 실천이었다. 전우는 군산도로 떠나 '수구'의 기지를 세웠다. 곧 그곳에서 구학의 신학 비판이 전개되었다. 1909년 4월 전우는 양계초의 신학을 치열하게 비판했다. 동년 5월 '구학중인舊學中人' 유영선도 신학 비판에 가세했다. 유영선은 1921년에는 '야소교' 목사 홍우종洪祐鍾을 만나 기독교 교리를 비판하고 〈소학답문蘇學答問〉을 지었다. 유교 선비와 기독교 목사의 토론을 기록한 진귀한 글이다.

'수구'란 무엇인가? '여세추이'와 대립하는 개념으로서 '수구'란 무엇인가? 전우와 유영선은 유학 이념의 '수구'를 말했지만 우리는 민주주의 이념에 대해서도 '수구'를 말할 수 있다. 헌정 질서가 무너지는 상황에서도 끝내 민주주의를 붙들었던, 민주주의의 '수구'가 있었기에 촛불혁명이 가능했다. '수구'란 세상에 대한 비타협이며 저항이었다.

3. 동학농민운동을 향해 묻는다

조선 말기 1894년은 격변의 한해였다. 이해 일어난 대사건을 꼽으라면 단연코 동학농민운동이다. 많은 사람들이 동학농민운동을 향해 질문을 던졌다. 이것은 유럽 봉건제 사회에서 일어난 독일 농민전쟁 같은 것이 아닐까? 이것은 중국 청나라 말기 홍수전이 일으킨 태평천국운동 같은 것이 아닐까? 동학농민운동의 혁명적 메시지는 갑오개혁의 새 정책으로 계승되지 않았을까? 동학농민운동에서 전국적인 민중 공론을 발견할 수 있지 않을까? 교조신원운동에서 민중 공론장의 형성을 투시할 수 있지 않을까? 또 동학교도들과 조선 정부 사이에 전개된 유교적인 담론 투쟁을 음미할 수 있지 않을까? 동학농민운동을 향한 질문은 당대 유학자도 던졌다. 이를테면 이관후李觀厚(1869~1949)가 지은 〈갑오문답甲午問答〉의 질문이다. 동학농민운동 당시 삼남 지방에서 유독 '호강豪强'의 집이 화를 당한 이유는 무엇일까?

〔번역〕

갑오년 전라도 고부古阜에서 성이 전 씨全氏[16]인 사람이 요설로 군중을 미혹시켜 무리를 모아 세를 일으키고 오랜 원한을 통쾌히 갚았다. 삼남 지방이 호응하여 위세가 심히 맹렬해 마침내 큰 난리가 났는데 '호강豪强'의 집이 유독 그 화를 입었다. 이것이 문답을 지은 까닭이다.

누군가 내게 와서 시사時事를 말했다.

"부귀富貴를 선망하고 빈천貧賤을 미워함은 천하의 똑같은 욕망입니다. 하지만 오늘날과 같은 세상에서는 부귀한 사람이 되어서는 안 됩니다. 저와 그대는 빈천하니 참으로 큰 다행입니다."

---

16 원문에는 전 씨田氏라고 표기되어 있으나 전봉준全琫準을 가리키는 말이므로 전 씨全氏로 바로잡았다.

내가 말했다.

"무슨 말입니까?"

그가 말했다.

"지금 비류가 횡행하여 관청을 엄습하고 부인富人을 겁략해 많은 경우 사망에 이르렀습니다. 이 사람들이 저와 그대처럼 빈천했다면 어찌 이런 화를 만났겠습니까? 그래서 '지금 세상에서는 부귀한 사람이 되어서는 안 된다'고 말한 것입니다."

"그대의 말과 같다면 지금 세상이 아니면 될 수 있지만 지금 세상이면 될 수 없다는 것인가요?"

그가 말했다.

"그렇습니다."

"심하군요, 그대의 미혹됨이란! 저는 제대로 된 사람이면 지금 세상이라도 안 될 것은 없지만, 제대로 된 사람이 아니라면 다른 때라도 안 된다고 생각합니다."

그가 말했다.

"무슨 말입니까?"

"부귀는 공물公物입니다. 하늘이 군자를 후하게 기르는 까닭입니다. 군자가 부귀를 누리는 것이 어찌 공연한 일이겠습니까? 관에서는 세금을 가볍게 거두어 사랑하는 은택이 백성에게 두루 미치고, 집에서는 곤궁하고 고단한 사람을 구휼하여 인후한 풍속이 향촌에서 이루어집니다. 그 마음씀이 호오好惡를 남과 같이해서 백성과 이익을 다투지 않으며 귀인이지만 천인에게 숙이고 부유하지만 가난한 사람을 병탄하지 않아 세민細民이 믿고 의지하며 살아갑니다. 지금의 부귀한 사람은 일절 이와 반대입니다. 사랑하는 정사가 폐지되니 취렴하는 향리가 일어나고 구휼하는 풍조가 없어지니 겸병하는 토호가 나타났습니다. 안으로 이익을 독점하려는 마음을 주로 해서 다시는 동포를 사랑할 줄 몰라 위세를 끼고는 그물질해 빼앗아가 못하는 일이 없습니다. 미약한 사람이 손발을 놀릴 곳도 없고 호소할 데도 없어 속에 품은 원망이 오랜 세월 축적되다가 한 사람이 크게 부르짖어 천 리에서 호응하자 만사萬死의 계책을 내서 마음에 가득했던 원통함을 풀었습니다. 그래서 기약하지 않아도 모이고 도모하지 않아도 함께해서 난이 이렇게 극도에 이른 것입니다. 이로써 보건대 지금 세상의 난리가 일어난 까닭이 부귀한 사람 때문이 아닙니까? 난리가 자기 때문에 일어나 도리어 그 화를 받았으니 다시 누구를 원망하고 탓하겠습니까? 똑같이 부귀한데 지금 세상에 또한 더러 화란에서 초연했던 사람은 부귀한 사람으로서의 행동이 비록 군자의 부류는 아니라 해도 그나마 이쪽보다는 저쪽이 나았기 때문입니다. 이쪽보다는 저쪽이 나은 정도인데도 상응하는 화복禍福이 구름이냐 진흙이냐의 차이뿐만이 아니었으니 하물며 부귀한 사람으로서의 행동을 잘한 군자이겠습니까? 제가 그래서 '제대로 된 사람이면 지금 세상이라도 안 될 것은 없지만 제대로 된 사람이 아니라면 다른 때라도 안 된다'고 말한 것입니다."

그가 말했다.

"예."

그 언설을 위와 같이 기록한다.

〔원문〕

甲午歲全羅古阜田姓人, 以妖說惑衆, 聚羣作勢, 快雪宿怨, 三南響應, 威炎甚熱, 遂成大亂, 而豪强之家, 偏被其禍, 此問答之所以作也.

或有來我言時事者, 曰慕富貴, 惡貧賤, 天下之所同欲. 然如今之世, 富貴必不可爲, 吾與子之貧賤, 固其大幸也. 余曰何謂也? 或曰今匪類橫行, 掩襲官府, 劫掠富人, 多致死亡. 使此人者, 若貧賤吾與子, 何如見中於此禍乎? 故曰今之世, 富貴必不可爲. 曰若子之言, 非今之世則可爲, 今之世則不可爲乎? 或曰然. 曰甚矣, 子之惑也! 我則謂如其人, 雖今世, 無不可, 如非其人, 雖他時, 亦不可. 或曰何謂也? 曰富貴, 公物也. 天

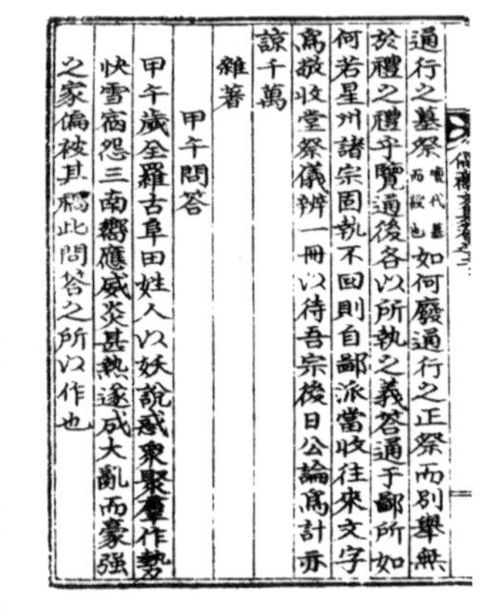
通行之墓祭(壹代墓而設也)如何廢通行之正祭而別舉無
於禮之禮乎覽通後各以所執之義答通于鄙所如
何若星州諸宗固執不回則自鄙派當收往來文字
爲敬收堂祭儀辨一冊以待吾宗後日公論爲計亦
諒千萬

雜著

甲午問答

甲午歲全羅古阜田姓人以妖說惑衆聚黨作勢
快雪宿怨三南嚮應威炎甚熾遂成大亂而豪强
之家偏被其禍此問答之所以作也

之所以厚養君子者也. 君子之享富貴, 豈其徒然哉? 在公則輕斂薄賦, 字惠之澤, 洽于民, 在家則周窮恤孤, 仁厚之俗, 成於鄕. 其爲心也, 好惡與人同, 不與民爭利, 能以貴下賤, 不以富呑貧, 細民所以依恃而爲生也. 今之爲富貴者, 一切反是, 字惠之政廢而聚斂之吏作, 周恤之風亡而兼幷之豪出. 內主乎獨利之心而不復知同胞之可愛, 藉勢挾威, 侵漁攘奪, 無所不至. 使微弱之人, 靡所措其手足而無處呼訴, 內懷怏怏, 蓄積於歲月之久矣. 一人大呼, 千里響應, 出萬死之計, 伸滿腔之寃, 故不期而會, 不謀而同, 亂至此極. 由此觀之, 今世亂之所由作, 非富貴之人乎? 亂自己作, 反受其禍, 復誰怨尤, 均之爲富貴. 今世亦或有超然於禍亂者, 其行富貴也, 雖不可謂君子之類,

而猶爲彼善於此也. 彼善於此, 而禍福之應, 不啻雲泥, 況君子之善行富貴者乎? 余故曰, 如其人, 雖今世, 無不可, 如非其人, 雖他時, 亦不可也. 或曰唯. 記其說如右.

[출처] 이관후李觀厚, 《우재문집偶齋文集》 권2 〈갑오문답甲午問答〉

〔해설〕

허균은 〈호민론豪民論〉에서 말했다. "이 세상에는 세 가지 백성이 있다. 하나는 항민恒民, 다른 하나는 원민怨民, 그리고 또 다른 하나는 호민豪民. 사람들은 대체로 국가의 지배 질서에 순응하며 항민처럼 살아가지만 가혹한 수탈이 계속되면 원민처럼 국가를 원망하게 되고 나라에 변고라도 발생하면 호민처럼 국가에 저항하기도 한다. 호민이 저항의 깃발을 올리면 원민은 언제든지 함께 결집하게 되어 있고 항민도 살아갈 길을 찾느라 합류하지 않을 수 없다. 중국사에서는 진나라 때 진승陳勝·오광吳廣의 난이 일어났고 당나라 때 황소의 난이 일어났으니 호민이 두려운 줄 알아야 한다. 그럼에도 호민이 없다고 안심하며 가혹한 수탈을 일삼고 있는 조선을 보라. 고려 말기보다 혹심한 고통으로 원민이 급격하게 증가하고 있구나. 천하에 두려워해야 할 존재는 백성인데 백성이 두렵지 아니한가?"

허균은 호민을 말했지만 조선 사회의 문제적인 존재는 호족豪族이었다. 흔히 호족 하면 신라 말 고려 초 지방 세력을 떠올리기 쉽지만, 이것은 하타다 다카시旗田巍의 논문 〈고려 사회 성립기의 '부府'와 호족〉(1960)의 영향 하에 이기백의 《한국사신론》('호족의 시대')과 국사편찬위원회의 《한국사》('호족연합정권')를 거쳐 역사 용어로 정착된 것이다. 근래는 개념이 불분명한 호족 대신 성주·장군이라는 용어를 사용하자는 논의가 제기되었다. 사실 호족은 《고려사》나 《고려사절요》에서 불과 1건이 검색되고 대개는 조선시대 사료에서 산견되는데 이들은 고을 수령이 행사하는 관권에 통제되지 않고 지방 사회에서 권세를 부리며 소민을 침학하는 부류였다. 이안눌李安訥은 호족이 많은 담양 고을에 자신이 부임해서 호족을 억제하는 정사를 펴자 소민이 기뻐했음을 전하고 있다. 정약용은 《목민심서》에서 고을 수령이 호족을 징치하고 고을을 안정시킨 사례를 나열하면서 '토호의 무단은 소민의 맹수이니 해악을 없애고 백성을 살려야 목민관이라 이르겠다'고 특기하였다. 김성희金成喜는 조선시대에 공예가 쇠퇴한 이유를 관청의 사역과 더불어 호족의 수탈에서 구했다.

조선시대에 호족보다 더 자주 쓰인 말은 호강豪强이었다. 태조 때에는 '전조前朝 말기에 토지제도가 문란해 호강이 겸병하여 창고가 비었다'고 인식하였다. 성종 때에는 '근일 도적이 일어남은 기한飢寒 때문이 아니라 호강이 도당을 이루어 자의로 겁략劫掠해서'라고 인식하였다. 중종 때에는 경상도의 군액이 부족한 이유를 헤아리며 '호강의 자제가 모두 군액을 면제 받고' '이름하여 업유業儒인 자는 글자 하나 몰라도 유적儒籍에 모탁冒托한다'고 인식하였다. 조선의 향촌 사회에서 호강이 점점 사회 문제로 떠오르게 되자 중종 39년 1월 1일 마침내 호강률豪强律이 반포되었다. 그 주된 내용은 '호강 품관이 향곡에서 무단하여 민전民田을 억탈하고 고약孤弱을 침어侵漁하며 수령에게 공혁恐嚇하고 인리人吏에게 위제威制하며 공부貢賦를 횡역橫逆하고 관물官物을 솔점率占한 자'는 평안도·함경도 같은 변방으로 추방시킨다는 것이었다. 《목민심서》는 '《속대전》에서 이르기를 호강 품관이 향곡에서 무단하고 백성을 능학하면 장杖 1백에 유流 3천 리'라고 기록하였다.

조선은 호족 또는 호강을 억누르는 법제를 갖추었으나 이들로부터 소민을 보호하는 데는 성공하지 못했다. 1894년 동학농민운동은 호족 또는 호강에 대한 원한이 쌓일 대로 쌓여 있는 소민의 폭발이었다. 허균의 어법대로 말하자면 수많은 원민 가운데 마침내 호민이 들고일어난 사건이었다. 이 사건에서 어떤 교훈을 찾을 수 있을까? 영남 의령 유학자 이관후는 삼남 지방에서 유독 호강의 집이 화를 당한 사실에 주목했다. 그것은 부귀를 누리는 사람일수록 제대로 된 사람이 없다는 사회적인 분노를 의미하는 것이었다. 부귀는 사유私有가 아니라 공물公物이건만 이들의 부귀에 애시당초 노블레스 오블리주는 없었다. 오늘날의 세상은 어떠한가? 부귀의 공공성은 강화되었는가? 호강의 폐해도 원민의 고통도 모두 사라졌는가? 가까운 옛날은 오늘날을 비추는 거울이다.

4. 농부는 선비의 미래이다

1910년 황현黃玹은 국망의 소식을 듣고 절명시를 지었다. 그는 선비로서 너무나 부끄러웠다. 나라는 온갖 난리를 겪었고 나는 몇 번이고 죽어야 했건만, 성균관에서 공부할 때 왜 나라의 간신을 비판하지 못했던가. 그는 선비 노릇을 하지 못한 자신의 삶을 회한하고 자결했다. 나는 선비 노릇을 하지 못했다, 나는 선비가 아니었다. 국망의 트라우마는 그렇게 오래갔다.

여기 허위로 가득한 선비를 절망하는 선비가 있다. 그는 선비에서 농부로 귀농을 결심한다. 무슨 마음이었을까?

〔번역〕

하늘이 이 백성을 낳음에 반드시 그 직분을 두었다. 해야 할 직분을 지키지 않는 자는 곧 일 없는 무뢰배이니 목숨을 지키기 어렵다. 선비士·농부農·기술자工·장사치商 넷은 폐할 수 없는 천직이니 일상생활에서 없어서는 아니 된다. 선비는 뜻을 숭상하고 도를 갖고 세상을 지킨다. 농부는 힘으로 먹고살고 백성과 나라를 봉양한다. 기술자는 솜씨를 다해 기계를 제작한다. 장사치는 이문을 취해 재화를 옮긴다. 넷 중에 하나라도 폐하면 나라의 살림과 백성의 생활이 언제나 병들고 축소될까 근심하게 된다. 이 때문에 하늘이 직분을 주어 백성이 직분에 맡은 바를 생각하니 백성이 이용후생利用厚生을 원한다면 이를 막을 수는 없다. 다만 이른바 예의염치禮義廉恥라는 것이 네 백성에게 통행되는데 그 가르침이 되는 까닭이 선비에게 책임이 있으며 농부·장사치·기술자 세 백성은 모두 선비에게 가르침을 받을 따름이다.

삼대의 성대한 시절에는 전토를 나누어 봉록을 제정하여 선비는 상·중·하의 봉록이 있었고 농부·장사치·기술자 세 백성도 전토를 받지 않음이 없어서 굶주려 떠도는 환난은 없었다. 그래서 밭두둑을 양보하는 풍속이 일어나고 길 위에

이고 진 늙은이가 없게 되어 사람들이 날마다 착한 일을 하며 남을 속이는 일이 사라졌다. 진나라의 천맥법阡陌法 이후 토지 겸병과 세금 강제가 일어나 위에서는 농사를 돕는 정사가 없고 백성은 전토를 받는 은택이 없었다. 선비는 얻으려고 안달하고 잃을까 걱정하며 농부는 한해가 다 가도록 힘써 움직여도 처자를 먹여살리지 못하며 기술자와 장사치도 속여 만들거나 폭리를 취하지 않으면 자기를 구원하기도 힘든데 어느 겨를에 예의를 차릴까? 예의가 없으니 허위가 날로 생기는데 허위의 지극함은 선비가 심하고 기술자와 장사치가 그다음이고 농부는 허물이 없다. 나는 그래서 농부가 네 백성 중에서 가장 좋다고 생각한다.

형벌과 명예는 국정의 대도大盜이니 형법으로 사람을 제어함이 안 될 것은 아니지만 이것을 준칙으로 삼으면 운 사납게 걸려드는 사람이 더욱 많아진다. 명예로 사람을 뽑는 것이 안 될 것은 아니지만 항상 이렇게 하면 총애를 구함이 더욱 심해진다. 상앙商鞅과 한비韓非가 이 법을 써서 나라가 위태롭고 자신은 멸망했으니 재앙을 예측할 수 없다. 곁가지가 만연하여 근일에 이르러서는 나라를 팔고 임금에게 반역한 자가 선비의 무리에서 나왔고, 농부·기술자·장사치 세 백성은 물이 동쪽을 터놓으면 동쪽으로 가고 서쪽을 터놓으면 서쪽으로 가는 것과 같을 뿐이다.

동방의 풍속이 고루해서 수재秀才나 학구學究 축에 들어 글줄 찾고 글자 세는 사람을 통틀어 선비라 부르는데 중화를 잊고 오랑캐에 붙으며 옛것을 버리고 새것에 나아가며 명예를 취할 일이라면 못하는 일이 없다. 직분으로 지키는 일을 살펴본다면 거의 없다. 기술자와 상인은 새 물건에 생각이 막혀 옛것을 싸게 새것을 비싸게 여기고 사람을 기쁘게 해서 이익을 취하는 데 힘쓴다. 직분으로 따르는 일을 살펴본다면 잘잘못이 반반이다. 농부는 땅의 소출을 다해도 양세兩稅 납부를 독촉받고, 고달프게 자기 힘을 다해도 먹을 것이 자주 떨어짐을 근심한다. 분뇨를 싫어하지만 남아도는 데가 있기를 바라고 한 가지 생각도 다른 데 미치지 않는다. 직분으로 지키는 일을 살펴본다면 확고해서 깨뜨릴 수 없다. 나는 그래서 네 백성 중에서 가장 좋은 것이 농부라고 생각한다.

아아! 옛날에 선비·농부·기술자·장사치를 나눌 적에 모두 그 지위의 순서를 말한 것이니 선비가 으뜸이고 농부가 다음이고 기술자와 장사치가 다시 그다음이었다. 요새 사람은 말하기를 장사치·기술자·농부·선비이니 병사는 이와 관계 없다고 한다. 장사치는 지혜가 발달해 운송 활동으로 돈주머니에 수만금이 있고 수레와 배에도 수많은 화물이 있으니 으뜸이라 이르겠다. 기술자는 손에서 나오는 것이 무궁한 밑천이니 그다음에 해당한다. 농부는 힘껏 일하고도 곤궁하고 수척하니 다시 그다음이다. 선비는 오늘 벼슬에서 쫓겨나면 내일 굶주림을 호소하니 다시 그다음이다. 아울러 창자도 남에게 내주니 심히 애통하다.

농부는 그렇지 않다. 쟁기와 가래가 이 땅에서 주조한 것이 아니면 쓰지 않는다. 사립簑笠과 한의汗衣가 이 땅에서 길쌈한 것이 아니면 입지 않는다. 와준瓦樽으로 물을 마시고 역상曆象으로 씨앗을 뿌린다. 지켜야 할 직분으로 말하면 셋과 비교해 어떠한가? 아, 선비를 배우고자 하나 선비는 진짜가 없으니 배울 수 없다. 기술자와 장사치를 배우고자 하나 기능이 미치지 못하니 배울 수 없다.

《시경》에 이르기를 농사로 나라를 열었다고 하였고,[17] 《한

---

17 《시·대아·생민》, 《시·주송·사문》, 《시·노송·비궁》에서 주나라 시조 후직이 농사를 지어 나라의 터전을 세웠음을 말했다.

서》에 이르기를 농사는 큰 근본이라고 하였다.[18] 나는 누구에게 돌아갈까? 농부에게 돌아가리라!

〔원문〕

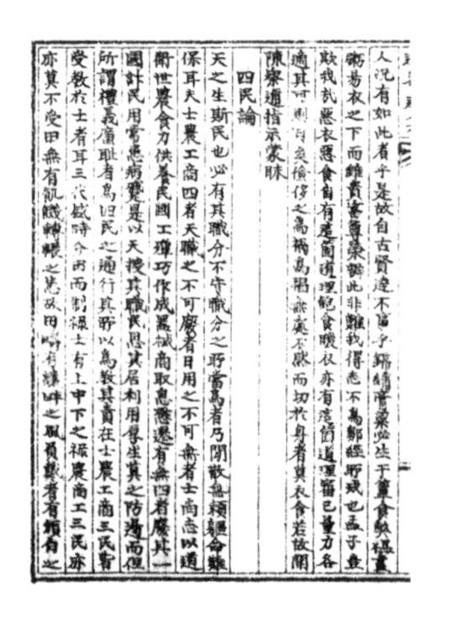
四民論

天之生斯民也必有其職分不守職分之所當爲者乃閒散無賴軀命難保耳夫士農工商四者天職之不可廢者日用之不可無者士尙志以道衛世農食力供養民國工殫巧作成器械商取息懋遷有無四者廢其一國計民用常患病蹩是以天授其職民思其居利用厚生莫之防遏而但所謂禮義廉恥者爲四民之通行其所以爲敎其責在士農工商三民皆受敎於士者耳三代盛時分田而制祿士有上中下之祿農商工三民亦亦莫不受田無有

天之生斯民也, 必有其職分, 不守職分之所當爲者, 乃閒散無賴, 軀命難保耳. 夫士農工商四者, 天職之不可廢者, 日用之不可無者. 士尙志, 以道衛世, 農食力, 供養民國, 工殫巧, 作成器械, 商取息, 懋遷有無. 四者廢其一, 國計民用, 常患病蹩, 是以天授其職, 民思其居, 利用厚生, 莫之防遏, 而但所謂禮義廉恥者, 爲四民之通行, 其所以爲敎, 其責在士, 農商工三民, 皆受敎於士者耳. 三代盛時, 分田以制祿, 士有上中下之祿. 農商工三民亦亦莫不受田, 無有

---

18 《한서》〈문제기〉에 '농사는 천하의 큰 근본으로 백성이 의지해서 살아간다農, 天下之大本也, 民所恃以生也'라는 구절이 있다.

飢饑轉輾之患. 故田疇有讓畔之風, 負戴者有頒白之尊, 人日遷善, 欺誣屛息. 自嬴秦阡陌以後, 兼幷起而强制作, 上無助耕之政, 民無受田之澤, 爲士者患得而患失, 爲農者終歲勤動而不得養其妻子, 工商者若無欺詐之鑄, 倍蓰之息, 則口體不能救, 奚暇治禮義哉? 無禮無義, 虛僞日生, 虛僞之至, 士爲甚, 工商次之, 農民無辜. 余故曰農者四民之最良者也. 夫刑名者, 國政之大盜也. 刑法制人, 非曰不可, 而以此爲準, 則橫罹滋多. 名譽取人, 非曰不可, 而以此爲常, 則沽寵尤甚, 衛鞅韓非, 用此道, 而危國滅身, 禍不可測. 支流蔓延, 拖至近日, 則賣國叛君, 出於士類, 農商工三民, 猶水之決東則東, 決西則西耳. 東俗固陋, 凡在秀才學究, 尋行數墨, 總謂之士, 忘華附夷, 棄舊就新, 沽名取譽, 無所不到, 苟觀其職分所守, 絶無而僅有. 工商則爲新物所沮, 賤舊貴新, 務在悅人取息, 苟觀其職分所由, 守與失相半. 農民則殫其地之所出, 征兩稅之督, 竭其力之矻矻, 猶患入口之屢空, 憎其糞而希剩, 罔一念之及他, 苟觀職分所守, 可謂牢不可破. 余故曰四民之最良者農云耳. 嗚呼! 昔之分士農工商, 皆言其地位次序, 士爲首, 農次之, 工商又次之, 今人之言曰商工農士, 兵不與焉. 夫商智慮發達, 運輸活動, 囊橐可以鉅萬, 車船足以億百, 可謂首. 工出於手而資無窮, 當次之, 農力服而困瘦又次之, 士今日罷官, 明日呼餒又次之. 嗚呼! 沽譽爭寵之士, 居於四民之末, 庶幾近於爲法自斃之說, 殊不知異日所到, 又當何如耶? 夫工商地賤, 固不足道, 而士之爲士, 雖未兼濟天下, 亦可獨善其身, 自輕而身辱, 復誰怨尤? 且今士工商三家, 皆食我人之農, 而用異人之器械, 衣異人之布帛, 是內竭吾人之粟, 而外資隣國之工商也. 工焉而自斃其工, 商焉而自病其商, 其爲不仁, 莫此爲甚, 而所謂士者, 非徒器械布帛, 幷以其腸肚而與人, 甚可哀痛. 惟農不然, 耒耟田器, 非土鑄則不用, 縗笠汗衣, 非土織則不着, 瓦尊而坏飮, 曆象而播種, 言其所守之職分, 比諸三家, 奚若耶? 噫! 欲學士, 士無眞, 不可學, 欲學工商, 技能不及, 不可學, 周詩曰, 以農開國, 漢書曰, 農爲大本, 吾誰歸? 歸農乎!

[출처] 공학원孔學源, 《도봉유집道峰遺集》 권8 〈사민론四民論〉

〔해설〕

《서북학회월보》 1908년 9월호에는 일본인 다카하시 히데토미高橋秀臣(1864~1935)가 한국의 농상공부와 통감부의 조사에 의거해 〈한국의 부富〉라는 소책자를 엮었다는 기사가 있다. 이에 따르면 한국의 부는 토지, 건물 등 14개 분야 총계 25억

환圜 이상으로 일본의 부 125억 환, 미국의 부 1,886억 환에 비해 현격히 적은 수치이다. 이대로라면 일본은 한국의 5배, 미국은 한국의 75배가 된다. 한국은 무엇이 문제일까? 넉 달 전《서우》에는 이 문제를 진단하는 글〈실업론〉이 실렸다. 국가의 부는 실업의 증진에 달려 있는데, 한국은 전통적인 사농공상 체제에서 학문을 담당하는 사와 실업을 담당하는 농·상·공이 서로 격절돼서 실업이 있는 자는 학문이 없고 학문이 있는 자는 실지가 없었으니 이제부터는 실업 교육, 곧 농상공업 교육에 힘쓰자는 주장이다. 농·상·공을 사, 그것도 실학을 하는 사로 만들겠다는 혁명적인 선언이다. 농·상·공은 새 시대의 아이콘이었다. 농업 발달 하면 미국, 상업 발달 하면 영국, 공업 발달 하면 스위스였다. 한국 정부는 '농상공'부를 설립해 놓았다. 윤효정尹孝定(1858~1939)은 국가 경쟁을 위해 '사농공상'의 직분 대신 '농상공사'의 사업을 말했다. 장지연張志淵(1864~1921)은 사와 농·상·공이 일치하게 된 시운의 변화를 인정하고 도덕과 실업의 합일을 주장했다.

실업론의 확산에 따라 사농공상 중에서 사는 허학을 했고 농·공·상은 실학을 한다는 생각이 성장했다. 농·상·공은 민생에 유익한 활동을 하는 반면에 사는 곡식이나 축내고 있으니 어디에 쓰겠느냐는 빈축이었다. 실용적인 지식을 생산하지 못하는 사의 허학을 가리킨 것이다. 그러나 서찬규徐贊奎(1825~1905)의 생각은 달랐다. 사의 직분은 도덕을 밝힘에 있다. 도덕이 없으면 가정도 무너지고 국가도 무너진다. 농·공·상이 업業으로 양민養民을 하는 사회적인 존재라면 사는 덕德으로 제민濟民을 하는 정치적인 주체로 사와 농·공·상은 '상수相須'의 관계에 있다. 이근원李根元(1840~1918)도 사의 본질을 치국평천하를 이룩하는 도덕으로 보고 사의 직분과 농·공·상의 직분을 형이상形而上과 형이하形而下의 차이로 보았다. 만약 사가 이렇게 귀한 직분을 다하지 않는다면 이는 정말로 남의 밥을 훔쳐 먹는 셈이니 자기 직분을 다하는 농·공·상에 훨씬 못 미치는 못난이가 된다고 하였다. 김평묵金平默(1819~1891)은 사의 직분과 농·공·상의 직분을 도심道心과 인심人心의 차이로 보았고, 자기 직분을 저버린 사농공상을 간민奸民이라 불렀는데, 간민 중에서 특히 사의 일탈을 가장 심각하게 여겼다. 윤기尹愭(1741~1826)에 따르면 조선 사회에서 사와 농·공·상의 위계가 자별한 것은 사를 양반兩班이라 이르고 농·공·상을 상인常人이라 이르기 때문인데, 이제는 양반이 몰락하고 타락하여 곳곳에서 사의 품행과 사의 직분이 없는 파락호와 토호가 양반 행세를 하고 있음을 고발했다.

장성 유학자 공학원孔學源(1869~1939)이 〈사민론〉을 지었을 때 세상은 그렇게 변해 있었다. 양반은 넘쳐나도 선비는 드물었다. 또 사농공상의 시대가 저물고 농·상·공의 새 시대가 도래했다. 결정적인 것은 유교 국가 조선의 멸망이었다. 그것은 직분을 다하지 않은 사의 책임을 묻는 사건이었다. 동시에 사의 직분을 실현할 더 이상의 세상이 없음을 의미하는 사건이었다. 이제 사농공상은 가고 상공농사가 왔다. 상商은 막대한 부를 소유하니 으뜸이고 공工은 부를 창출할 기술이 있으니 그다음이고 농農은 힘써 일해도 곤궁하니 그다음이고 사士는 '창자도 남에게 내주니 심히 애통하다.' 그러나 공학원은 직분을 지키는 윤리에서는 상공농사와 다른 농상공사를 생각했다. 농은 직분 윤리에서 최상이고 상과 공은 중간이며 사는 최악이다. 아무리 곤궁해도 직분을 저버리지 않는 농農에서 그는 사士의 참다운 이상형을 투시한다. 농부는 선비의 미래이다. 농부야말로 이 땅에 사는 참다운 사람이다. 이 땅에서 만든 것이 아니면 쓰지 않는 농부. 이 땅에서 길쌈한 것이 아니면 입지 않는 농부. 《시경》은 농으로 나라를 열었다고 했지. 《한서》는 농이 큰 근본이라 했지. 공학원은 절망과 희망의 교차점에서 다짐한다. 나, '농으로 돌아가리라歸農乎!' '귀농歸農'의 부르짖음. 실은 공학원에 앞서 조선 후기에도 근세 사대부의 타락을 비통해하며 세속을 끊고 '귀농'을 결의하는 장면들이 있었다. 그러나 사농공상을 논하며 귀농을 결심한 인물은 공학원이 처음이 아니었을까?

5. 대한제국의 비원

영원한 존재도 있지만 찰나의 존재도 있다. 조선의 얼굴은 수도 한양이고 한양의 얼굴은 임금이 사는 궁궐이었다. 조선 전기에는 경복궁이 얼굴이었고 조선 후기에는 창덕궁이 얼굴이었다. 20세기 한국인은 창덕궁을 곧잘 비원이라고 불렀다. 식민지 시절 비원이라 부르던 언어 습관이 질기게 이어진 탓이다. 지금은 조선시대 본래의 이름대로 창덕궁이라 부른다. 조선의 창덕궁과 식민지 비원, 그 사이에 대한제국의 비원이 있다. 기억조차 망각된 이 찰나의 존재는 무엇이었을까?

〔번역〕

대한 황제의 궁궐은 다섯이 있다. '경복', '창덕', '창경', '경희', '경운'이다. 창덕궁이 가장 오래되고 가장 아름답다. 역대 임금님이 그리로 옮겨 살았다. 궁궐의 북쪽에 동산이 있는데 천석泉石과 초목이 그윽하고 고요하며 누대와 정자가 얼키설키 이어졌다. 봄철이면 꽃구경하고 고기 잡으며 태평성대를 꾸몄으니 참으로 즐겁게 노닐어 법도가 될 만한 일이었다.

지금 천자께서 경운궁으로 이어移御하신 지 십 년 가까이 되니 동산의 누대와 정자가 점점 퇴락해갔다. 계묘년(1903) 봄 이를 수선하라고 조서를 내리셨다. 신臣 및 궁내부 협판 신 조정구趙鼎九에게 명하여 감독하게 하셨다. 기울어진 것은 바로잡고 무너진 것은 쌓고 스러진 것은 일으키고 단청이 벗겨진 것은 칠했다. 몇 달 지나지 않아 환히 새롭게 바뀌니 '비원秘苑'이라 이름하고 관리를 두어 지켰다.

아아! 이 공역은 신들의 힘으로 노력해서 이룩할 수 있는 것이 아니었다. 진실로 우리 황제 폐하께서 낡은 것을 새롭게 고쳤으니 후왕이 선왕을 이어받고[19] 상제가 규모를 늘려 주신[20] 굉장한 계책과 방도로 그 나머지를 유추할 것이다. 자와 지팡이, 도끼와 톱을 갖고 그 공역을 행한 사람들도 함께 영예가 있을 것이다.

신은 이에 삼가 감회가 있다. 정자의 현판과 주련은 모두 신 아무개에게 명해 쓰게 하셨다. 신이 잘 써서 그런 것이 아니라 사적을 기록해 후세에 전하려는 지은성덕至恩盛德 때문이었다. 신이 감히 머리를 조아리며 절하지 않을 수 있겠는가. 삼가 글을 써서 탑본을 받들어 걸고 장첩하여 보관하니 국가도 이와 함께 오래도록 전해지기를 원한다.

---

19 원문의 '당구堂構'는 '긍당긍구肯堂肯構'의 줄임말이다. 후왕이 선왕의 법을 따라 왕업을 이어받아 완수한다는 뜻이다. 《서경書經》의 〈대고大誥〉 편에서 '만일 아버지가 집을 지어 이미 법을 이루었는데 그 자식이 기꺼이 당의 터를 만들려고 하지 않으니 하물며 방을 구축하겠는가?若考作室, 旣底法, 厥子乃弗肯堂, 矧肯構'에서 유래한다.

20 원문의 '식확式廓'은 규모라는 뜻이다. 상제가 안민安民을 위해 주나라 규모를 늘려주고자 태왕에게 서쪽 땅에 새롭게 거처할 곳을 주었다는 구절에서 나왔다. 《시경詩經 · 대아大雅》에서 '상제가 이루고자 하면 그 규모를 늘리고자 하네. 이에 서쪽 땅을 돌아보고 이를 주어 거처하게 하였네上帝耆之, 憎其式廓, 乃眷西顧, 此維與宅'라고 하였다.

〔원문〕

昌德宮秘苑重修楣額楹聯榻本跋 代作
有韓皇帝之正衙有五曰景福曰昌德曰昌慶曰慶
熙曰景運昌德宮最久而最美 列祖列宗之所更
居宮北有囿泉石卉木幽靚窈深臺沼亭館羅絡點
綴每春月有賞花釣魚之會賁飾太平洵游豫爲度
者也今 天子移御慶運宮近十禩囿之臺沼亭館
日漸剝落癸卯春 下詔修繕命臣某暨宮內部協
辦臣趙鼎九董之頹者整圮者築廢者興黝者雘不
數月而奐然一新命曰秘苑置官以守之於乎是役
也非臣等之力能致其勤實惟我 皇帝陛下因舊

有韓皇帝之正衙有五, 曰景福曰昌德曰昌慶曰慶熙曰慶運, 昌德宮最久而最美, 列朝列宗之所更居. 宮北有囿, 泉石卉木, 幽靚窈深, 臺沼亭館, 羅絡點綴. 每春月, 有賞花釣魚之會, 賁飾太平, 洵游豫爲度者也. 今天子移御慶運宮近十禩, 囿之臺沼亭館, 日漸剝落. 癸卯春, 下詔修繕, 命臣某暨宮內府協辦臣趙鼎九董之, 頹者整圮者築廢者興黝者雘, 不數月而奐然日新, 命曰秘苑, 置官以守之. 於乎! 是役也, 非臣等之力能致其勤, 實惟我皇帝陛下因舊爲新, 堂構式廓之宏謩達權, 有以推其餘也. 若引杖斧鋸之執其役者, 亦與有榮也. 臣於是竊有感焉, 凡亭榭之梠額楹聯, 悉命臣某書之, 非以臣能書, 亦有記蹟遺後之至恩盛德也, 臣敢不拜手稽首? 謹書將揭搨本, 粧帖以藏之, 願家國之同其壽傳云爾.

[출처] 안종덕安鍾悳, 《석하집石荷集》 권8

〈창덕궁비원중수미액영련탑본발昌德宮秘苑重修梠額楹聯榻本跋〉

〔해설〕

2020년 3월 26일 한국 우정사업본부는 '한국의 옛건축'이라는 제목으로 기념우표를 발행했다. 이 우표는 서울에 남아있는 고궁에서 이미지를 취했다. 경복궁 자경전, 경운궁 석조전, 창경궁 명정전, 창덕궁 부용정이 그것이다. 선별된 이유는 명확하다. 건축물의 문화적 가치 때문이다. 서울의 고궁에 많은 건축물이 있지만 이 넷은 한국의 대표적인 고건축으로서 꼭 살펴보자는 뜻이다. 우표 카탈로그에 친절한 설명이 있다.

경복궁 자경전은 조선 말기 왕실의 최고 웃어른인 신정왕후 조 씨의 침전으로 경복궁 중건 당시의 모습을 거의 그대로 간직하고 있다고 알려져 있다. 경운궁 석조전은 한국 최초의 서양식 궁궐 전각인데 경운궁 중화전과 함께 배치되어 대한제국이 서양과 조선의 두 얼굴을 하고 있었음을 느낄 수 있다. 창경궁 명정전은 조선의 궁궐 전각 중에서 현존하는 최고最古의 목조 건축물로 조선 전기 건축 양식의 특징을 잘 계승했다고 설명된다. 창덕궁 부용정은 평면 형태, 공간 구성, 건물 장식 등에서 아름다움의 극치를 보여주는 건물로 역사적, 예술적 보존 가치가 매우 높다고 평가된다.

창덕궁 부용정은 부용지라는 연못의 물가에 세워졌고 연못 너머 주합루宙合樓를 바라볼 수 있다. 주합루는 정조가 설립한 규장각 관원이 근무했던 곳이다. 부용지에서 흐르는 물이 동쪽으로 내려가면 춘당지라는 연못에 이르고 이 일대의 넓은 마당을 춘당대春塘臺라고 했다. 춘당대는 숙종대부터 문무과 과거 시험 장소로 본격적으로 사용되었는데 특히 정조대부터 춘당대 과거 시험이 급격히 증가했고 초계문신 시험도 춘당대에서 시행되었다. 주합루와 춘당대 모두 정조 임금과 깊은 관계가 있지만 사실 부용정도 정조 임금이 새로 붙여준 이름이니 창덕궁 후원의 이 구역은 그 시대를 추억하기에 더 없이 좋은 장소이다.

조선 후기 문인 화가 강세황姜世晃은 정조 임금과 함께 창덕궁 후원을 노닐었던 일을 전한다. 1781년 음력 9월 3일 그는 규장각 희우정喜雨亭에서 입시入侍 중에 어명을 받고 창덕궁 후원을 탐승하는 길에 올랐다. 벽송과 단풍을 좌우에 두고 이어지는 숲속은 동천洞天에 들어가는 듯 신비로운 모습이었다. 깊은 숲속의 아름다운 자연 곳곳에는 정자가 있었다. 탐승을 마친 일행은 산기슭을 내려와 영숙문永肅門을 지나 희우정에 돌아와 궁중 음식으로 여흥을 즐겼다. 강세황의 글은 정조 임금의 치세에 펼쳐진 창덕궁 후원에서의 풍류를 잘 보여준다.

창덕궁 후원은 대한제국기 고종 황제 때에 이르러 외국인이 관광하는 장소가 되었다. 경운궁에 거처하는 고종은 주한 각국 외교 공관 관원 및 그가 보증하는 외국인에게 경복궁과 창덕궁의 관람을 허가했다. 각국 외교 공관이 공문을 보내면 대한제국 예식원에서 빙표를 발행했는데, 관람객이 이를 지참해 궁궐 파수 순검에게 주면 관람이 가능했다. 1903년에는 창덕궁 후원을 대대적으로 보수하여 새롭게 정비하고 궁내부 관제 안에 이 구역을 관리하는 비원秘苑을 신설했다. 이것은 이해 고종 즉위 40주년 기념 경축 행사를 위한 연회 설행設行 때문이었는지도 모른다. 이듬해 법부대신으로 비원장秘苑長을 겸임한 김가진金嘉鎭은 비원 인장을 새로 만들었다.

비원이 된 창덕궁 후원은 이제 서양 원유회園遊會garden party를 베푸는 연회 장소로 변모하기 시작했다. 1904년 이후 본격화된 이 연회는 대한제국 기념일 경축, 내한 외빈 환대, 기타 중요 행사를 위해 설행되었는데, 차리는 음식도 공연하는 기예도 조선의 전통이 사라진 가운데 잡다하게 서양과 일본과 중국 풍조가 섞여버린 놀이 문화로 변질되었다. 원유회를 즐기러 수천 명의 인파가 비원에 난입하는 일이 발생했고 이들의 새로운 향락 문화는 조선 전통의 파괴를 의미했다. 창덕궁 후원을 정비하고 그곳 비원 정자의 현판과 주련의 글씨를 썼던 안종덕安鍾悳(1841~1907)은 과연 이러한 원유회를 예상했을까?

역사에 만약은 없다지만, 만약 고종이 비원을 만들었던 이듬해 곧바로 러일전쟁이 발발하지 않았다면, 그래서 창덕궁 비원에서 품격 있는 대한제국 연회 문화가 창조되었다면, 아마도 그 비원은 대한제국의 근대 문화를 보여준다는 점에서 역사적 의미가 작지 않았을 것이다. 그러나 현실의 비원은 식민지 비원의 시작을 의미하는 것이었고, 이에 따라 대한제국의 비원이라는 역사적 기억조차 망각되는 불행을 겪었다. 어명을 받아 비원 정자에 글씨를 썼던 안종덕은 글씨 탑본을 보며 나라가 오래가기를 희망했는데 어쩌면 이 불행을 예감한 것은 아니었을까?

6. 개성박물관을 소개한다

사물의 정체성은 단일하지 않다. 개성이란 어떤 곳인가? 고려시대에는 어엿한 왕도였고 조선시대에는 태조의 어향御鄕이었다. 서경덕을 배출한 도학의 도시, 최한기를 배출한 실학의 도시였다. 개성은 협력의 도시이기도 했다. 조선 말기 개성 시인 김택영은 지역 문인들과 협력하여 개성의 인문 전통을 창조하는 편찬 활동에 열성이었다. 실업과 문학을 병행한 개성 문인들은 서로 협력하며 지역 사회의 문화 창달을 위해 노력하였다. 이 가운데 개성 문인 손봉상孫鳳祥(1861~1936)은 1931년 개성박물관의 기문을 지었다. 박물관의 건립은 근대 개성의 문화사에서 어디에 위치하고 있었을까?

〔번역〕

음양은 변화하고 순간은 고금이 된다. 생명체가 날로 번식함에 지혜로 서로를 높이고 재주로 승부를 다툰다. 승마보다 빠른 것이 비행기이고 나룻배보다 빠른 것이 기선이며 궁시弓矢가 둔하여 총포가 제작되고 공포功布가 거칠어 비단이 나왔다. 추세가 진화하여 무럭무럭 향상되니 이는 참으로 옛날이 부족하고 오늘날이 넘치는 것이다. 그러나 옛날이 없으면 오늘날이 없으니 옛날을 하찮게 보아서는 안 된다. 이 때문에 학식은 박고博古를 귀하게 여기니 옛날에 해박하지 않으면 박물博物이 불가능하다. 옛날 대우大禹는 구정九鼎에다 괴수를 그려서 백성이 괴수를 만나지 않게 하였고,[21] 공자는 제나라 임금에게 상양商羊을 답하여 사람들이 미리 수해를 대비하게 하였으니,[22] 세도에 얼마나 도움이 되었던가!

---

21 《좌전左傳》에 따르면 옛날 하夏나라가 덕이 있을 때에는 먼 나라에게 괴물의 형상을 그려 바치게 하고 구주의 장관에게 쇠붙이를 바치게 하여 괴물을 새겨넣은 큰 솥을 만들어 백성들에게 이를 알렸다고 한다.

22 《공자가어孔子家語》에 따르면 제齊나라에 발이 하나인 새가 궁전 앞에서 뛰고 있어서 공자에게 사신을 보내 묻자 공자가 상양이라 대답했다. 제나라에 있는 상양이라는 새는 비가 오면 춤을 춘다고 하였다.

지금 세계는 바깥이 없고 만국이 승부를 겨루어 서로 부강·문명에 종사함에 반드시 박물과 도서로 안을 채우고 전차·전함·총포로 바깥에 위엄을 보이는데 전차·전함·총포는 어느 때이든 만들 수 있으나 고물古物·진보珍寶는 연구와 수집에 세월을 바치지 않으면 모을 수 없다. 하물며 한 나라에 없어서 만국에서 수집하여 갖고 오는 것이겠는가? 이는 비단 보물의 기특함을 중시해서일 뿐만 아니라 그 풍속, 정치, 기용器用, 예의를 이로부터 구할 수 있기 때문이다. 그래서 나라의 도읍이나 부府·시市에는 큰 건물을 건설해서 진열을 갖춘다. 일찍이 도쿄 우에노上野 박물관을 관람했는데, 이천 년 전 로마의 염한 시신이 상 위에 있었고 또 조선 효복孝服의 방립方笠과 신랑의 초립草笠이 있었다. 이것이 어찌 보물이라서 모았겠는가? 옛날과 오늘날 사람들의 생사간의 예의·풍속을 고찰하기 위해서이다.

개성은 천년 고도인데 누차 변하여 상전벽해가 되었다. 심지어 군郡이 되고 면面이 되었다가 지난해 10월 부府로 승격되었다.[23] 김병태金秉泰 씨[24]가 첫 부윤이 되었는데 경험이 많아 초창기에 민활한 수완을 베풀 만했기 때문이다. 부윤府尹으로 취임한 날 개성부 행정으로 우선 거론한 것이 박물관 설립을 도모하는 일이었다. 개성부의 예산과 경기도의 보조금 지급으로도 지탱하기 부족하자 공은 힘껏 알선하여 밖으로는 미쯔이三井 회사와 안으로는 부민 유지有志가 재산을 덜어 일을 도와 자남산子男山의 남쪽에 땅을 개척했다. 그 건물 구조는 기와와 벽돌에 계단이 하나이고 사방의 처마가 화려하고 높았다. 바깥은 옛 제도를 본받아 당堂이 넓고 안은 신식으로 꾸몄는데 우뚝한 커다란 누각이 빼어나고 상쾌하다. 강산의 명승을 아름답게 꾸며주는 개성부의 훌륭한 건물이다.

역대 옛 물건을 진열함에 비록 기와 자갈이나 구리 조각이

---

23 개성은 고려시대와 조선시대에는 대체로 개성부라 불렸으나 대한제국기에는 개성군이 되어 개성군수 관할 하에 4개 면을 두었고 1914년 개성군과 풍덕군이 통합해 개성군이 되면서 본래의 4개 면은 송도면으로 합쳐졌다. 1930년 개성군 송도면은 개성부로 승격되었고 개성군의 나머지 15개 면은 개풍군으로 변경되었다.

24 1887년 출생. 1943년 별세. 경상북도 영주에서 태어나 달성일어학교를 졸업하고 경상북도 예천, 상주, 칠곡 군수를 역임, 1930년 초대 개성부윤에 임명되었다. 만주국 관료로 활동하고 조선에 돌아와 황해도 지사, 전라북도 지사를 역임하였다.

라도 취한 것은 세상 사람들의 견문과 지식을 넓히기 위해서이니 장차 천하의 진기한 옛 물건이 이 박물관에 날마다 모임을 보게 될 것이다. 호고好古 취미가 있는 군자는 비축한 것이 있으면 집에서 자기 혼자 갖고 있지 말고 이 박물관에 보내 여러 사람들이 보도록 공개하면 좋겠다. 건물이 이미 낙성하자 내게 사적을 기록해달라고 부탁하니 내가 글을 잘 짓지 못하지만 공이 새로운 행정을 거행하여 개성부 부민이 길이 이에 도움을 받아 박고博古에 나아감을 기뻐하기 때문에 마침내 이 글을 지어 기문으로 삼는다.

〔원문〕

二氣相盪, 一瞬古今, 生類日蕃, 智以相尙, 技以角勝, 騎乘之不捷爲飛機, 方涉之不利爲輪艦, 弓矢鈍而銃砲作, 功布麁而造絹出, 趨勢進化, 蒸蒸日上, 此誠古不足而今有餘也. 然無古則無今, 古固不可芻狗也已. 是以學識貴乎博古, 不博古則無以博物也. 在昔大禹畵怪獸於九鼎, 使民不逢不若, 孔子答商羊於齊王, 使人預備水害, 其爲裨益於世道, 固何如哉? 今五洲無外, 萬國爭衡, 相以富强文明爲事, 必先博物圖書以實其內, 舟車銃砲以威其外, 舟車銃砲, 可時以造得也, 古物珍寶,

非攷究蒐羅, 持以歲月, 不可得以聚之也. 況不在一國而搜之萬國以致之乎? 此不但珍玩奇特之爲貴也已, 其俗尙也, 其政治也, 其器用也, 其禮儀也, 從可以求之矣. 故國都府市建設大舘以備陳列, 嘗觀東京上野博物舘, 有羅馬二千年歛尸在床, 又有朝鮮孝服之方笠, 新郎之草笠, 此豈謂珍寶而聚之耶? 以考其古今人生死間禮儀俗尙也. 開城千年故都, 滄桑累變, 以至于爲郡爲面矣, 去歲十月昇之爲府, 金公秉泰氏, 始爲尹焉, 以其累歷敏腕, 可施於草創也, 莅府之日, 擧府政之先者, 謀設博物舘, 府之豫算, 道之補給, 不足支辦, 公畢力斡旋, 外而三井會社, 內而府民有志, 捐財贊事, 拓地於子男山之陽, 其結構也, 瓦甓而一階, 四簷翬飛, 外倣古制, 一堂廣敞, 內粧新式, 巍然傑閣, 瑰偉朗爽, 賁飾江山之勝, 壯爲是府之觀. 陳歷代古物, 雖瓦礫銅片, 猶且取之, 以博世人之見聞知識, 將見天下之古怪奇珍, 日聚于是舘, 好古之君子, 有所蓄者, 勿以自私於几閣, 輸之斯舘, 公諸人眼

可也. 觀旣落成, 囑鳳祥以記其事, 鳳祥不文而喜公之新政斯擧, 而府民永有所資以進於博古也. 故遂書此而爲之記.

[출처] 손봉상孫鳳祥, 《소산집韶山集》 권2 〈박물관기博物館記〉

〔해설〕

언젠가 소설가 박완서는 〈옛날〉이라는 글에서 개성을 이렇게 묘사했다. 은백색으로 빛나는 땅에 겸손하고 품위 있는 기와집들이 즐비한 주택가 사이로 나깟줄(=시냇물)이 그물처럼 얽힌 아담한 고도古都. 개성에서 학창 시절을 보낸 그는 개성의 명소 선죽교와 만월대를 잘 알고 있었다. 이 둘을 일컫는 자기만의 독특한 표현도 갖고 있었다. 선죽교란 충절에 대한 수다스런 꾸밈. 만월대란 어떤 꾸밈도 거부하는 허무 그 자체. 개성은 꾸밈과 허무의 도시였을까?

문득 지금은 중단된 오래전의 개성 관광이 떠오른다. 개성 관광은 보통 당일 코스였다. 오전에는 천마산에 가서 박연폭포·대흥산성 북문·관음사를 다녔고, 오후에는 숭양서원·선죽교·고려박물관(성균관)을 구경했다. 숭양서원은 정몽주의 집터에 세웠다는 제향의 장소이고, 그 곁에 선죽교는 정몽주가 격살되어 흘린 핏자국이 남아 있다는 전설의 장소이다. 둘 사이에는 정몽주의 충절을 기념해 각각 영조와 고종의 어명으로 세워진 표충비 둘이 우뚝하였다. 수다스런 꾸밈의 장소로 볼 수 있겠다.

숭양서원은 도시 서원이었다. 도시 한복판에 있었고 그랬기에 조선시대가 지난 뒤에도 다시 근대 개성을 증언하는 상징으로 거듭났다. 이를테면 대한제국기에는 이동휘의 강화 보창학교 지교가 숭양서원 안에 설립되어 개성 신교육운동의 중심이 되었다. 정몽주가 순국한 음력 4월 4일이면 숭양서원에서 추모회가 열려 개성의 남녀노소 수천 명에게 충군애국 정신을 북돋는 사회 교육이 진행되었다. 국망 이후 숭양서원은 숭양문예사崧陽文藝社를 중심으로 전개된 개성 문화운동의 거점으로 기능하였다.

숭양문예사(1916)는 본래는 개성 한문학운동의 진흥 주체였다. 서경풍아西京風雅라고 이름난 문예지향文藝之鄕 개성의 명성을 회복하기 위해 매달 한시 한문 작품을 심사하고 출품작을 모아 《숭양집》으로 출판했다. 숭양문예사의 중심 인물 최문현崔文鉉(1872~1919)은 개성 문인과 협력하여 개성의 문화 전통을 현창하고자 다양한 출판물을 간행했는데 이를테면 정몽주의 《신편 포은집》(1914), 박문규朴文逵의 《천유

집고天游集古》(1918), 19세기 개성인의 사마록과 문과록 모음 《중경과보속中京科譜續》(1918) 같은 문헌이 그것이다.

최문현은 조선 효종 때 이이의 문묘종사를 청했던 개성 유학자 최계림崔繼林의 후손으로 대한제국기 개성 사회에서 '유림의 대가'로 명성이 높았다. 최문현의 맹동의숙은 그의 벗 임규영林圭永(1869~1908)의 배의학교와 더불어 개성 문인의 양대 사립학교로 손꼽혔다. 맹동의숙에는 장학월보사 개성 지사가 있었고, 배의학교에는 대한매일신보사 개성 지사가 있었다. 맹동의숙 교사 최기현崔基鉉이 《동국통감》과 《선사열전善士列傳》을 편찬한 문인이라면, 배의학교 교사 임봉식林鳳植은 《개성지》와 《고려인물지》를 편찬한 문인이었다. 임규영의 스승 김택영은 《숭양기구전》과 《숭양기구시집》을 편찬해 개성의 역사와 문화를 현창하고 있었다.

최문현은 1914년 개성의 명승지인 목청전穆清殿[25] 후록後麓의 신암新巖 동천洞天에 정각을 세웠다. 근대 초기 개성 문인의 문화운동이 명승과 고적 보존에도 걸쳐 있었음을 의미

---

25 개성 목청전은 전주 경기전처럼 조선 태조 어진을 봉안하는 진전이다. 개성의 역사적 정체성으로 조선의 어향御鄕을 내세울 수 있는 상징적인 장소였다.

한다. 최문현은 어쩌면 1912년 설립된 고적 보존 단체 개성보승회開城保勝會와 연결된 사업을 추진한 것일까? 개성보승회는 개성의 유적 보존과 유물 수집을 위해 설립되었는데 개성 만월대에 안내 설명판이 세워지고 유물 진열장이 설치된 것도 이때였다. 개성보승회 같은 명승고적 보존 단체는 전국적으로 산재했는데 경기도의 경우 개성보승회, 남한산보승회, 수원보승회, 강화보승회 등이 알려져 있다. 전국적으로 보면 개성은 평양과 함께 가장 일찍 보승회가 설립된 지역이었다.

근대 개성 문화운동의 주역은 개성 문인이었다. 임규영과 함께 개성학회를 이끌었던 손봉상은 '인삼왕'의 별명을 들었던 개성 삼업의 일인자였지만 실은 김택영의 벗 최중건崔中建(1853~1933)에게 한문학을 수학한 문인이었다. 그는 여타 개성 유지와 함께 개성 미술을 진흥하기 위해 고려미술공업진흥회를 조직했고 서화연구회를 찬조하였다. 서화연구회는 황종하·황용하 형제를 중심으로 학생을 양성하고 있었는데 1924년 제1회 전람회를 개성에서 개최하는 데 성공하였다. 1930년 개성군 송도면이 개성부로 승격되고 이듬해 이를 기념해 개성박물관 건립이 추진되자 기부금을 냈고 한문으로 박물관 기문을 지었다.

개성박물관이란 어떤 곳인가. 손봉상은 조선 인삼의 해외 판매 현황을 시찰하러 일본, 중국, 대만, 홍콩 등지를 다녀온 삼업인이었다. 그는 일본 도쿄 우에노박물관에서 로마와 조선의 유물을 관람했던 일을 떠올리며 박물관의 설립 목적이 문명의 연구임을 강조했다. 그는 이 사명을 완수할 수 있도록 개성 사람들에게 많은 유물을 박물관에 보내줄 것을 당부했다. 하지만 개성박물관은 과연 우에노박물관과 같은 곳이 될 수 있었을까? 개성박물관 소장품은 대부분 미쓰이물산이 조선총독부박물관에 기증한 유물을 기탁받은 것이었고 그 밖에 개성보승회가 기증한 고려자기 또는 개성 출토 유물인데 관람객의 흥미를 끌기에는 부족하였다.

개성박물관 관람 소감으로 흔히 인용되는 이야기가 있다. 박물관 건물은 개성에 어울리게 순조선풍으로 지었고, 내부의 진열실도 채광 조건이 좋은데 입구 좌측부터 차례대로 관람하면 처음에 정몽주의 초상과 필적은 관람자에게 깊은 감명을 주지만 이어지는 진열대에 전시된 청동기, 도자기, 불상 등의 유물은 상당히 열악한 수준이었고 조선총독부박물관을 이미 관람한 사람들에게 별다른 인상을 주지 못한다는 내용이다. 고려박물관의 불리한 전시 여건은 근본적으로 일본인이 개성에서 문화재 약탈과 도굴을 자행한 점, 조선총독부와 개성부의 지원이 전반적으로 미미했던 점에서 찾기도 한다.

개성박물관은 일제강점기 박물관 중에서 유일하게 조선인 관장을 두었다. 제2대 박물관장 고유섭高裕燮(재임 1933~1944)은 적극적으로 유물 수집 활동을 펼쳤는데 흥국사지 석탑, 개국사지 석등, 기타 개성의 유물을 수습해 개성박물관으로 옮겼다. 개성의 지역 언론《고려시보高麗時報》에 수년간 고려 유물과 개성 유적을 소개했는데 이는 해방 후 출판된《송도고적》의 바탕이 되었다. 고유섭은 한국 미술사학의 개척자이자 한국미론의 선구자로 평가되는 중요한 학자인데 실상 개성박물관이 고유섭 한국학의 산실이었음을 알 수 있겠다. 거시적으로 보면 김택영과 개성 문인의 전통 만들기 과업이 개성박물관의 고유섭으로 도달한 것은 아니었을까?

가라

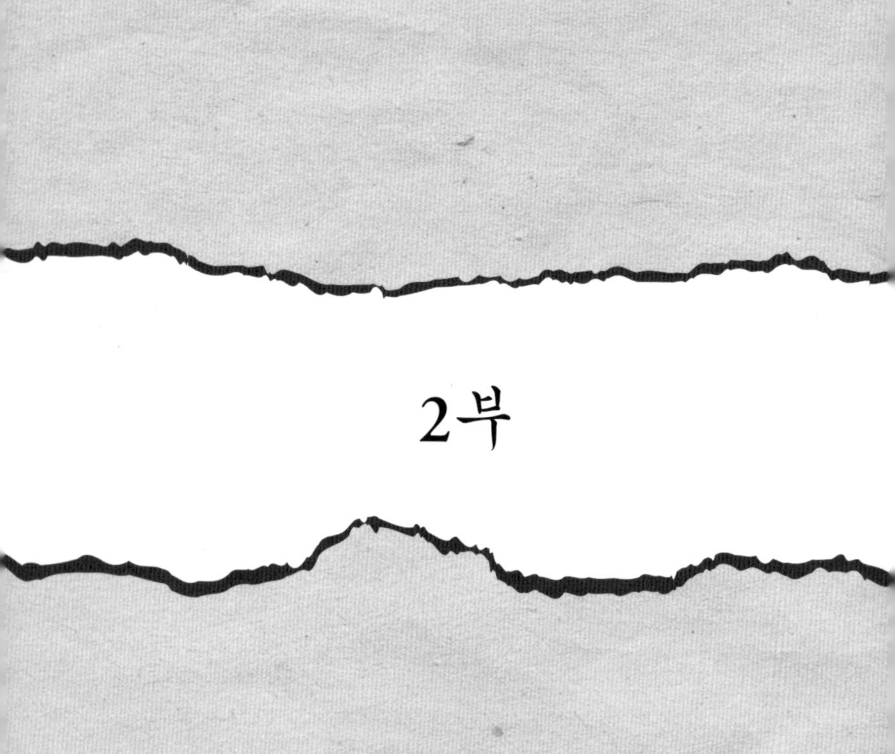

2부

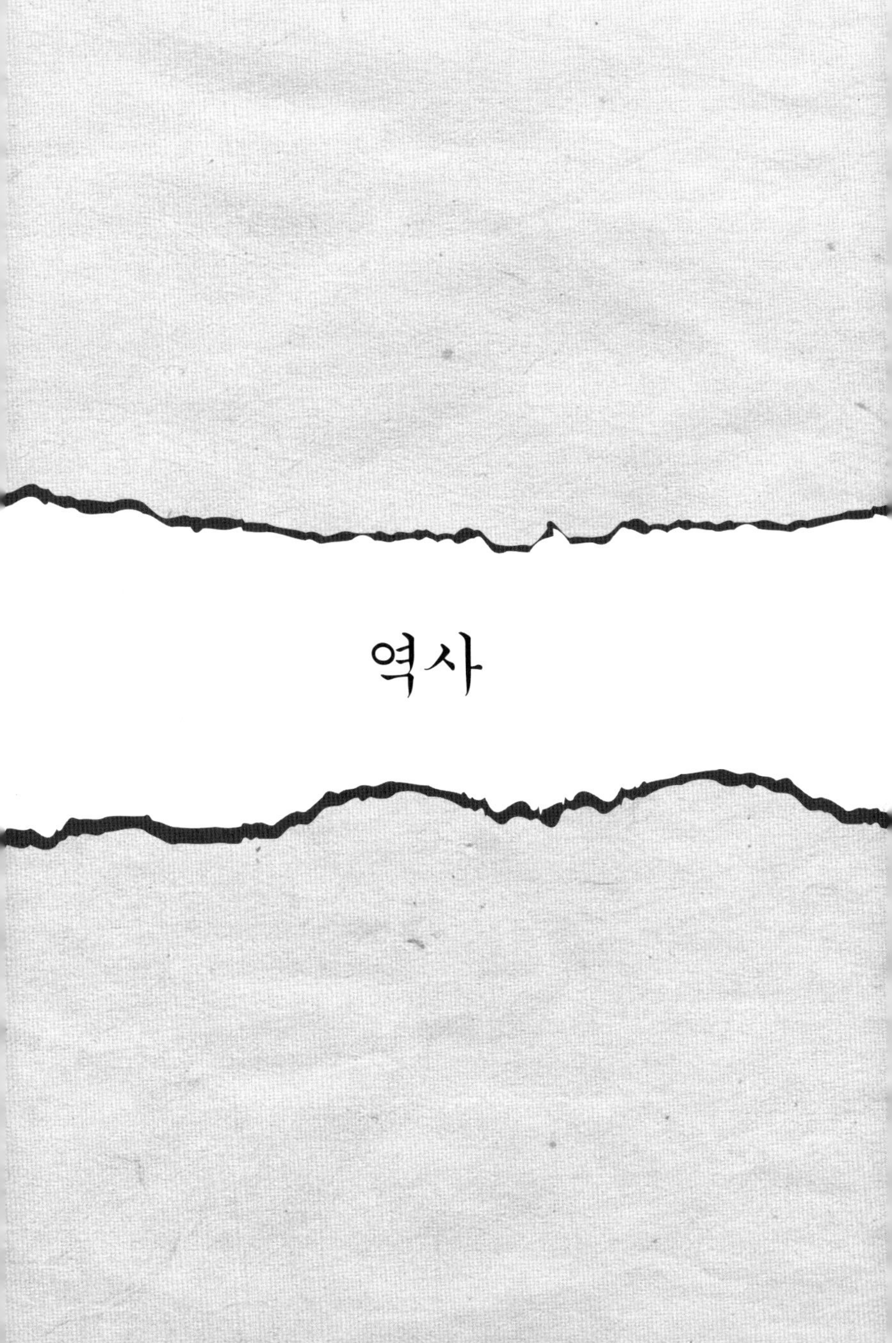

역사

1. 조선의 말년사를 성찰한다

우리나라 역사책은 전통적으로 중국의 역사책을 모델로 삼았다. '사기'(《삼국사기》), '통감'(《동국통감》), '강목'(《동사강목》)이 인기 있는 이름이었다. 근대에 들어와 역사책의 이름이 달라졌다. 폴란드의 역사를 담은 '말년사'(《파란말년사》), 이집트의 역사를 담은 '근세사'(《애급근세사》), 베트남의 역사를 담은 '망국사'(《월남망국사》)가 널리 읽혔다. 이때만큼 말년사를, 근세사를, 망국사를 열심히 읽었던 적이 또 있을까? 이윽고 역사 읽기는 곧 역사 쓰기로 변화한다. 1911년 호남 유학자 양재경梁在慶(1859~1918)은 조선의 마지막 역사를 총평하는 사론을 지었다. 그는 무엇을 말하고 싶었을까?

〔번역〕

국가의 화란이 임오년(1882)에 일어나 경술년(1910)에 끝났다. 화란은 하루아침에 일어나는 일이 아니니 서리를 밟게 되어 단단한 얼음이 생기듯 반드시 그 시초가 있는 법이다. 옛날의 현명한 임금과 재상은 늘 미연에 방지했기 때문에 화란이 일어나지 않았고 더러 처음에 헤맸어도 나중에 능히 깨달아 잘못을 뉘우쳐 새 정치를 열었던 적이 많았다. 우리나라 임금과 신하가 만약 임오년에 잘못을 뉘우쳤으면 갑신년(1884) 난리는 일어나지 않았을 것이고 갑신년에 잘못을 뉘우쳤으면 갑오년(1894)과 을미년(1895)의 변란, 을사년(1905)과 병오년(1906)의 화란은 일어나지 않았을 것이며 경술년(1910)의 망국도 없었을 것이다.

저 임오년의 군사들은 본래 글 읽는 선비나 군자의 부류가 아니니 어찌 '부모가 자애롭지 않아도 자식은 효도해야 한다'는 의리로 책망할 수 있겠는가? 더욱이 그 마음이 실은 부모형제와 처자식이 헐벗고 굶주려 이산離散함으로 인해 옳고 그름을 돌아보지 않고 목숨 걸고 난리를 일으켰으니 당시의 군자는 이들을 위무하고 통제함에 마땅히 경중의 차이를 두었어야 했다. 민비가 승하했다고 관문關文을 발송하고 상복을 입었던 까닭에 당시 언론은 군사들의 난리가 대원군에게 뿌리가 있다고 여겨 만 리 밖 머나먼 땅[26]에 대원군을 유폐했다. 대원군이 갑자년(1864) 이래 사친의 권세를 빙자해 천리를 거스르고 인륜을 어지럽혀 종사를 뒤집기에 이른 일은 참으로 이루 헤아릴 수 없이 많다. 하지만 국정에 간여하지 못하게 하는 것으로도 충분하거늘, 군부를 낳고 길러준 어버이를 어찌 습격해 체포하여 천하의 비웃음을 사게 했단 말인가?

갑신년 다섯 역적[27]이 거리낌없이 왜적을 불러들여 임금을 침범했는데도 국법을 가하지 않았고 그 후 영효泳孝가 돌아와 글을 올려 원통함을 호소하자 다시 관작을 주었거늘 몰래 역모를 꾸미다 해외로 달아나 요행히 모면하고는 다시 와서 입경하여 함부로 대신의 자리를 차지하고 마침내 임금이

---

26 청나라 보정부保定府이다. 대원군은 1882년부터 1885년까지 보정부에 유폐되어 있었다. 이 시기의 일기가 《대원군천진왕환일기大院君天津往還日記》이다.

27 갑신정변의 주역들을 가리킨다. 조선 정부는 김옥균, 박영효, 홍영식, 서광범, 서재필 다섯 사람을 주모자로 생각했다. 이 가운데 해외로 도주한 김옥균, 박영효, 서광범, 서재필 네 사람을 가리켜 사흉四凶이라 일컬었다. 본문처럼 갑신정변의 주모자 다섯 사람 전체를 가리켜 오역五逆이라 칭하는 경우는 드물다.

선위禪位하는 날 갑자기 완용完用을 죽여 죄명에서 벗어나려 했으나 어찌 전날의 잘못을 속죄할 만한 일이었겠는가? 임용할 때 이렇듯 충신과 역적의 분별이 없었으니 나라가 나라답지 못한 지가 오래되었다.

갑오년의 비도가 방백과 수령의 악독한 탐학을 참지 못하고 무리를 모아 창궐하여 괴성으로 사람들을 미혹시켜 관리를 죽이고 백성을 살육했다. 정권이 이를 스스로 제지하지 못하고 도리어 일본 병사를 시켜 토벌해 평정했으니 외국 오랑캐에게 수모를 받아 멸망을 자초한 것이 참으로 당연하다.

갑오년 6월의 변란[28]으로 말하자면 당초 저들이 (병자년) 화친을 간청할 때 서울 재상과 산림山林 학자가 마땅히 최대부崔大夫[29]처럼 궁궐 앞에 엎드려 저들을 물리쳐 끊는 상소를 올렸어야 했는데, 방관하고 침묵하거나 선동하여 조장하는

---

28 1894년 동학농민운동이 일어나 조선 정부의 요청으로 청나라 군대가 출병하자 동시에 조선에 출병한 일본 육군이 경복궁을 점령한 사건을 가리킨다. 이 사건을 계기로 조선 정부는 일본 정부의 통제 하에 들어가 타율적인 갑오개혁에 착수했다. 경복궁 점령 이틀 후 일본 해군이 아산만 풍도에서 청국 함대를 격침시키면서 청일전쟁이 발발하였다.

29 최익현을 가리킨다. 그는 1876년 음력 정월 도끼를 들고 광화문 앞에 나아가 일본과의 수호조약을 반대하는 상소를 올렸다.

바람에 개항과 통상을 허락했고 필경 화호和好를 맺어 조약[30]을 만들었다. 이제 선왕의 전장을 뜯어고치고 성현의 말씀을 저버리고 전통 있는 복식을 망가뜨리고는 '자유'라 '독립'이라 이름했으나 실상은 야만을 써서 문명을 변개시키고 인간을 강등시켜 금수로 만든 것이었다. 정령政令 하나 내는 일도 거조擧措 하나 내는 일도 반드시 왜적에게 자문해야 했으니 말은 '대경장大更張'이라 하고 '대개화大開化'라 했으나 국가를 멸망시키는 구실이었다. 더욱이 갑신년의 달아난 역적[31]을 조정에 포진시켰는데도 이들이 외적을 끌고와 임금을 해치는 화란이 곧 들이닥칠 줄을 전혀 알지 못했다.

을미년의 사변[32]은 전고에 없던 일이었다. 대원군이 자식을 데리고 입궐하여 안팎의 역적들이 황후를 시해하는 음모에 간여하여 즉시 자기 자식[33]이 궁내부대신을 얻도록 했으니 이것을 '궁정 혁신'이라 할 수 있겠는가? 조정이 계속해

---

30 1876년 조선과 일본 사이에 체결된 수호조규이다. 세칭 강화도조약이라 한다.

31 박영효를 가리킨다. 갑신정변 실패 후 일본에 망명해 있던 그는 1894년 청일전쟁이 발발하자 귀국하였고 김홍집 내각에서 내부대신으로 발탁되었다.

32 1895년 명성황후 시해 사건을 가리킨다.

33 흥선대원군의 장남이자 고종의 형인 이재면을 가리킨다.

서 두발을 훼손시키는 명령을 내려 전국이 들끓자 팔방의 의사義士들이 원수를 갚고 역적을 토벌하는 군사를 일으켜 천하에 대의를 펴고자 했는데 역적의 무리가 거짓 왕명으로 군사를 출동시켜 파했다.

을사년 거짓 조약[34]이 이루어질 적에 성상께서는 굳게 고집하고 허락하지 않았으나 다섯 적신賊臣[35]이 조인해 허가하였다. 병오년 양위에 관한 의논이 나올 적에 임금께서는 매우 엄하게 항거했으나 완용과 병준秉畯이 억지로 '내선內禪'을 시켰다. 경술년 7월에 이르러 종사가 영영 끊겼다.

오호라. '독립'이 변하여 '개화'가 되었고 '개화'가 변하여 '보호'가 되었고 '보호'가 변하여 '합병'이 되었다. 밖으로 외국 공관과 담판하지도 못했고 안으로 최후의 결전도 치러보지 못했고 종이 한 조각에 삼천리 강토와 오백 년 종사를 하루아침에 남에게 주었으니 천하 만고에 듣지 못한 일이었다.

---

34 1905년 한국 외교권의 일본 위탁 관리를 내용으로 하는 이른바 을사늑약을 가리킨다.

35 1905년 한국 외교권의 일본 위탁에 찬성했던 다섯 대신을 가리킨다. 이완용, 이지용, 박제순, 이근택, 권중현으로 세칭 을사오적이다.

〔원문〕

竊惟國家之禍, 起於壬午, 終於庚戌. 夫禍亂之作, 非一朝一夕之故, 履霜堅氷, 必有其漸. 古之明君賢宰, 常防於未萌, 故亂無自而興, 亦或有迷之於始, 而能覺之於後, 懲創改紀者多矣. 我國君臣, 若懲於壬午, 則甲申之亂無起矣. 懲於甲申, 則甲午乙未之變, 乙巳丙午之禍不作, 而無庚戌之無國矣. 夫壬午之軍士輩, 本非讀書士君子之類也, 豈可以父雖不慈子不可以不孝責之乎? 且其心實緣於父母凍餒兄弟妻子離散, 而不顧是非, 冒死爲亂, 則當時君子慰撫操縱, 宜有輕重也. 時論以閔妃昇遐發關受服之故, 謂軍亂根柢於大院君, 幽囚於萬里絶域. 大院君自甲子以來, 藉私親之勢, 其所以逆天理亂人倫, 致宗社顚覆者, 固不可勝記. 然使不得干預國政則可, 是君父劬勞之親, 豈有使襲執而取天下之譏者乎? 甲申五逆之招倭犯上, 無所顧忌, 而王章不加. 其後泳孝之還, 上書鳴寃, 復授官爵. 及其陰謀不軌, 逃海倖免, 而又來入京, 冒據大臣之位, 乃於禪位之日, 欲掩殺完用而逃名, 豈足以續前日之罪也? 任用如是忠逆無分, 國不可爲國久矣. 甲午匪徒, 不忍方伯守令貪虐之毒, 聚黨猖獗, 鼓妖惑衆, 戕殺官吏, 魚肉生民, 柄用自不能制止, 反使日本兵討平之, 其受侮外夷, 自取滅亡, 固其所也. 以六月之變言之, 當其初之乞和也, 京宰山林, 當如崔大夫之伏闕而陳斥絶之䟽, 而或袖手結舌, 或逐波助瀾, 許開舘而通商, 竟和好而成約. 改先王典章, 棄法言毁法服, 名爲自由獨立, 而其實用夷變華, 降人爲獸, 一政令一擧措, 必咨於倭, 名之曰大更張大開化, 作亡人家國覇柄. 且使甲申逋賊布列朝著, 殊不知引寇反噬之禍迫在朝夕也. 乙未之變, 前古所未有也. 大院君率子入闕, 干與於內外諸賊弑后之謀, 卽使其子得宮內府大臣, 是可曰革新宮廷乎? 朝廷繼有毁髮之令, 全國鼎沸, 八方義士, 起復讎討賊之師, 將伸大義於天下, 而逆黨矯旨, 發兵罷之. 乙巳僞約之成, 聖上堅執不許, 而五賊臣調印許可. 丙午讓位之議, 上拒斥甚嚴, 而完用秉畯强之內禪, 至於庚戌七月而宗社永絶矣. 嗚呼! 獨立變而爲開化, 開化變而爲保護, 保護變而爲合倂. 外而未得談辦於公舘, 內而未得背城一戰, 以一片紙擧三千里疆土五百年宗社, 而一朝與人, 天下萬古所未聞也. ……

[출전] 양재경梁在慶, 《희암유고希庵遺稿》 권7 〈국조기사國朝記事〉

〔해설〕

1906년 4월 30일 《황성신문》은 일본 유신 30년의 역사를 연재하기 시작했다. 메이지유신이라는 일본 역사의 성공담을 한국 사회에 전파하여 문명개화를 향한 분발자강을 독려하고자 하는 기획이었다. 이토 히로부미가 최근 초대 통감으로 한국에 왔으나 동요하지 말자. 꿋꿋하게 진보의 한길로 나아가자. 희망의 30년이 우리를 기다리고 있다. 그러나 1907년 7월 26일 《대한매일신보》는 한국 변란 30년의 역사를 논설로 내보냈다. 한국은 역사의 비상한 변국을 만나 폴란드, 이집트, 베트남처럼 끝내 쇠망하고 말 것인가? 고종 황제가 최근 '황위皇位에서 폐립'된 사건은 한국 역사의 실패담에서 절정에 달하는 순간이었다. 30년은 유신에서 변란으로 빛이 바랬다. 미래를 향한 희망의 상징에서 과거를 향한 회한의 상징으로 퇴색해버렸다. 그럼에도 여기에서 주저앉을 수는 없는 일. 정히 이때야말로 '신대한新大韓'을 세울 때가 아니던가. 고종의 퇴위와 함께 자각된 '신대한'은 고종 사후 대한민국임시정부의 수립으로 형체가 갖추어졌다.

한국의 30년 말년사, 무엇이 문제였을까? 임오년(1882)의 군란과 갑신년(1884)의 정변으로 청군과 일본군이 이 땅에 주둔했고 충돌했다. 다시 갑오년(1894)의 경복궁 점령과 을미년(1895)의 명성황후 시해 사건, 그리고 갑진년(1904)과 을사년

論說

大韓三十年間變亂歷史
否泰가相쳔ᄒᆞ고治亂이相因ᄒᆞ
고禍福이相倚ᄒᆞ야國家의興替
存亡과人民의安危休戚이未嘗
有一定而不變者ᄂᆞᆫ上下萬古ᄒᆞ
며縱橫萬國에史冊所載가歷々
可證이라蓋其氣數之變遷으로
國家의命運과人民의生活이不
能常治常安일시當其擾亂危急
之際ᄒᆞ야能因亂爲治ᄒᆞ고轉禍
爲福ᄒᆞ야亡而復存ᄒᆞ고衰而更
盛者ㅣ有之ᄒᆞ니湍下深潭이豈
不平穩ᄒᆞ며寒後陽春이豈不喜
悅이리오

大韓이擾攘ᄒᆞ얏고乙未不測之
禍作而國母被弑之變이有ᄒᆞ얏
고甲辰之韓日議定書와乙巳之
勒成新條約이最其事變之大者
라一朝國權之次第被奪於外人
者ᄂᆞᆫ式日將至ᄒᆞ야史不忍書러
니乃至今日에竟有 皇位讓立
之擧ᄒᆞ엿스니凡此七八大變이
皆歷史上非常之命運이라
噫乎大韓同胞여將此國際之關
鑑ᄒᆞ야克念家國之境遇하라若
使大韓人民으로於第一變하
야啟精神이발憤自強ᄒᆞ얏
스면必無第二變이오若其於
第二變하야痛切做讐雪
恥ᄒᆞ고培養實力하얏스면必無
第三變이거날乃韓人이循其累

(1905)의 국권 피탈 조약을 차례차례 겪었다. 만약 대한 인민이 첫 번째 변란에서 정신을 차려 분발자강했다면? 만약 대한 인민이 두 번째 변란에서 복수설치를 맹세하고 실력을 배양했다면? 그러나 한국인은 장기간의 평화 속에서 편안히 놀고 게으르게 지내며 현실로부터의 각오라는 것이 없었다.

《대한매일신보》의 이 논설은 파급력이 상당했다. 한국 근대사의 고전적인 저작으로 손꼽히는 박은식의 《한국통사》는 고종 황제가 퇴위하여 경운궁에 유폐된 사실을 기록하고 자신의 사론을 덧붙였다. 조선의 군신이 임오년 변란을 겪은 뒤 위나라 문공처럼 정치에 힘썼으면 중흥의 터전을 세웠을 터이고, 갑오년과 을미년 변란을 겪은 뒤에도 월나라 구천처럼 와신상담 했다면 독립을 잃지는 않았을 터인데, 자강의 각성이 없이 편안히 놀고 게으르게 지냈기 때문에 결국 국망을 맞이했다는 것이다.

능주 유학자 양재경이 《한국통사》에 앞서 1911년 조선의 말년사를 기록하고 이를 총평하는 사론을 작성했을 때, 그 역시 동일한 관점이었다. 옛날의 현명한 군신은 잘못을 뉘우쳐 새 정치를 열었건만, 조선의 군신은 왜 그러하지 못했는가? 임오년의 잘못을 뉘우쳤으면 갑신년 난리는 일어나지 않았을 테고, 갑신년의 잘못을 뉘우쳤으면 갑오년과 을미년, 을사년과 병오년의 화란은 일어나지 않았을 테고, 그러면 경술년의 국망도 찾아오지 않았을 것이다. 그는 조선 말년사가 국망으로 치닫는 과정을 4단계로 제시하였다. 곧 '독립'(1884)에서 '개화'(1894)로, '개화'에서 '보호'(1905)로, '보호'에서 '합병'(1910)으로. 조선 말년사의 각 변란들을 인식하고 더 이상의 악화가 없도록 이를 막아내야 했다는 생각은 같았지만, 그의 주안점은 조선 말기 정치 세력이 창출했던 역사적 국면의 변화와 그 마지막 종착지로서 조선 종사의 멸망에 놓여 있었다. 조선의 말년사에서 조선 구체제의 망국사는 물론 조선 신체제를 향한 혁명사를 투시했던 《한국통사》의 관점과는 이 지점에서 달랐다. 유학자로서 '신대한'을 전망하기에는 국망 직후의 충격이 컸다.

2. 광복의 역사를 만든 하늘의 뜻

역사에는 다양한 광복이 있다. 인현왕후가 갑술환국으로 복위한 사건을 광복이라 했다. 영조가 임오화변 이후 친정을 회복한 사건도 광복이라 했다. 본래는 후한 광무제가 왕망의 신나라를 멸하고 전한을 계승한 사건이 광복이었다. 비슷하게는 조선 선조가 임진왜란으로 나라를 잃을 뻔했으나 다시 나라를 회복한 사건도 광복이었다. 20세기 들어와 광복은 동아시아 민족운동과 결합되어 광복회, 월남광복회, 대한광복회가 등장하였다. 그 연장선에 대한민국의 국경일 광복절이 있다. 광복을 이룩했다, 광복에 성공했다, 신생 대한민국에서 광복의 메시지는 광복사光復史의 새 역사 이야기를 창출했다.

1972년 남원향교에서 발행한 역사책《동감강목》속편에서 광복사의 뜻을 들어본다.

〔번역〕

사람은 죽지 않는 사람이 없고 나라는 망하지 않는 나라가 없다. 단지 죽고 망할 따름인데 유독 보는 바가 있어서 죽고 망한 진짜 평론을 정하는 이유는 무엇일까? 사람이 죽을 적에 보고 듣지 못하고 숨을 거두어 온몸이 차가워지나 떳떳한 양심이 아직 사라지지 않았음을 본다면 이는 살아 있는 사람이요 죽은 사람이 아니다. 나라가 망할 적에 사직과 종묘가 폐지되고 정삭正朔과 복색服色이 교체되나 국민성國民性이 아직 사라지지 않았음을 본다면 이는 살아남은 나라요 망한 나라가 아니다. 때문에 '마음의 죽음보다 더 슬픈 일이 없으니 몸의 죽음은 그 다음이다. 역사의 멸망보다 더 원통한 일이 없으니 나라의 멸망은 그다음이다'라고 한다. 역사란 국민성이 의탁하여 세상에 표현된 것이니, 그러하지 아니한가?

저 왜적은 우리 한국을 노예로 만들고, 어육으로 만들고, 초개로 만들었다. 우리 한국은 왜적에 의해 구속되고 병탄되고 유린되었다. 약육강식의 상태로 지낸 지 모두 서른여섯 해나 되었다. 그러나 시종 울분이 쌓인 나머지 국민성이 폭발하여 불이 더욱 타오르듯 물이 더욱 들끓듯 하니 강자가 막아낼 수 없었다. 처음엔 의병이 곳곳에서 봉기했고 이어서 열사가 몸바쳐 나라에 보답했다. 그 밖에도 두발을 지키다 죽었고 성씨를 지키다 죽었다. 3·1운동이 사방에서 일어나니 입이 있는 사람이면 모두 독립만세를 외쳤고, 임시정부가 여러 해 지속되니 마음이 있는 사람이면 모두 대한독립을 원했다. 이리가 으르렁대고 매가 달려드는 것 같은 위압에도 조금도 굽히지 않고 하나같이 곧게 앞을 향해 백 번 꺾여도 다른 마음이 없었으니 이는 과연 누가 그렇게 시킨 것인가? 사람의 마음에 똑같이 있는 하늘에서 나와 동방 사천 년 예의 풍속의 남은 자취가 사람들의 피부와 골수에 두루 미친 것이 더러 없지 않아 그러할 수 있었는가?

옛날 명나라가 망할 때에 명나라 황제가 종사를 위해 죽었고, 명나라 신민이 의리에 기대어 나라를 위하다 죽은 사람이 매우 많았다. 대개 역대에 있지 아니한 일인데 일찍이 《명사明史》를 보고 마음으로 삼가 공경하였다. 지금 우리 한국이 망할 때에 명나라 말기 집집마다 충의로웠던 것보다 도리어 더 나음이 있으니 시대가 더욱 아래인데도 사적이 도리어 상반됨은 어째서인가? 아니면 처했던 사정이 그랬기 때문인가? 대개 왜인은 우리에게 대대로 동쪽의 근심거리로 옛날 임진왜란은 극히 참혹했는데 지금 끝내 뱀 아가리의 개구리가 되고 호랑이 창자의 고깃덩이가 되었다. 무릇 우리 한국의 인민이라면 누구인들 천지에 원통해하지 않았겠으며 조금이라도 편안히 지낼 수 있었겠는가?

예로부터 망한 나라가 하나둘이 아니지만 망하면 그뿐 이미 망했는데 다시 옛 강토를 회복해 마치 벽璧이 진나라에 들어갔다가 다시 조나라에 돌아온 것 같은 일[36]은 없었다. 지금 우리 한국의 일을 말하자면 나라를 잃어버림에 사나운 바람이 옷을 말아 가버린 듯하였고 나라가 돌아옴에 신비한 공작이 구슬을 머금고 온 듯하였다. 천만 년을 거치는 동안 거의 절대로 없었던 일인데 이상하도다. 이 어찌 나라를 근심한 여러분들이 천지에 가득한 정성과 우주에 가득한 기운으로

36 중국 전국시대 진秦나라가 조趙나라의 보물인 벽璧을 요구했는데 조나라 사신 인상여藺相如가 진나라 궁정에서 기지를 발휘하여 벽을 무사히 조나라로 돌려보냈다.

위급하고 창망한 때 국민성을 발휘하여 하늘이 기어이 이루어주심을 얻은 데서 나온 것이 아니겠는가?

대개 하늘과 사람의 관계를 논함에 사람이 못하는 일이 없어 보여도 오직 하늘은 속일 수 없음을 생각하게 된다. 저들은 자기의 강함을 믿고 남을 어육으로 만들었으니 '사람'이다. 이쪽은 자기의 약함에 어찌할 수 없어서 남에게 어육이 되었으니 '사람'이다. 그러나 그 중단 없는 정성과 지극히 원통한 기운이 우주간에 서리고 맺혀 필경 천둥과 번개가 한번 크게 울리자 어떤 사람인지 모르는 곳에 벼락이 떨어져 우리가 마침내 그 도움을 받아 일어나 옛 나라를 광복했으니 이것이 '하늘'이 아니면 무엇인가? 아아! 하늘이 이미 돌아보셨으니 그 이유를 말하지 않으면 안 된다. 이에 의義를 위해 죽은 여러분들을 거론하고 다음으로 3·1운동과 임시정부를 언급하여 우리 한국의 국통國統이 국치國恥 중에 중단된 적이 없었음을 밝힌다.

〔원문〕

謹按人無不死之人, 國無不亡之國, 而但之死也之亡也, 獨有所觀以定其死亡之眞評者何也? 人之死也, 視聽呼吸旣收矣,四肢百體既冷矣, 然獨觀其所仗秉彛心之尙不泯, 則是生也非死也, 國之亡也, 社稷宗廟旣廢矣, 正朔服色旣替矣, 然獨觀其所守國民性之尙不滅, 則是存也非亡也. 故曰哀莫大於心死而身死次之, 痛莫甚於史亡而國亡次之. 史者, 國民性之所倚以表見於世者也, 不其然哉?

夫倭之於我韓, 旣任其奴之隸之魚之肉之草芥之矣. 我韓之於倭, 旣被其羈之縶之噬之呑之糜爛之矣. 弱肉之屬於强食之過境者, 凡三十六年之久矣. 然自初迄終, 國民性之爆發於蓄憤積鬱之餘者, 如火益熾, 如水益沸, 有非强者之所可抑遏. 始而義兵之隨處蜂起, 繼而烈士之捐身報國, 其他保髮而死, 守姓而死, 及至三一運動之達乎四境, 而有口皆唱獨立萬歲, 臨時政府之持續多年而有心皆願大韓獨立. 盖嘗深原其不少屈於狼咆豺哮鷹搏鶚擊之威壓而一直向前百折靡他者, 是果孰使之然也? 非出於人心所同得之天而有不容已於東方四千年禮義成俗之遺風餘澤浹人肌髓者, 其能然乎? 昔明之亡也, 明皇殉社

而明臣民之仗義爲國而死者甚多. 盖歷代所未有也. 嘗觀明史, 心窃欽之, 今我韓之亡也, 反有勝於明末之家忠戶義, 以時益下而事乃相反何如? 抑所處地之事然耶? 盖倭人於我, 世爲東患, 在昔龍巳, 其禍極憯, 而今乃爲蛇口之蛙, 虎腸之肉矣. 凡爲我韓人民者, 孰不寃天痛地, 容可晏然而已乎? 從古國之亡非一, 然亡焉而已, 未有旣亡而旋復舊疆, 如璧入秦而復反於趙者也. 今我韓之事, 其失也如飄風之卷衣而去, 其反也如神雀之含珠而來, 歷千萬年絶無而僅有, 其異矣哉! 此豈非出於憂國諸公之積徹穹壤之誠, 奮塞宇宙之氣, 發揮國民性於危急顚沛之際而取必于天者乎? 盖嘗論天人之際, 以謂人無所不爲, 惟天不可誣, 彼恃己之强而魚肉人者人也. 此無奈己之弱而爲魚肉於人者人也. 獨其不斷之誠至寃之氣盤旋凝結於宇宙間, 畢竟震電一響轟發於所不知何人而我乃興受其助, 光復舊物, 非天而何? 嗚呼! 天旣垂眷而不可以不白其由. 玆擧殉義諸公, 次及三一運動臨時政府以明我韓國統之未嘗中絶於國恥中者.

[출전] 김종가金種嘉, 《입헌집立軒集》 권4 〈서동감강목후書東鑑綱目後〉

〔해설〕

1968년 남원 유림은 《동감강목》을 발간하고자 '남한 전국 사림'에게 총회에 참석해달라는 통문을 돌렸다. 일시는 1968년 음력 4월 8일 오후 1시. 장소는 남원향교. 발간 작업은 순조롭게 진행되었다. 1970년 12월 25일 《동감강목》 전편과 《동감강목》 원편이, 1972년 12월 30일 《동감강목》 속편이 남원향교에서 발간되었다. 《동감강목》은 조선 말기 마지막 산림 송병선宋秉璿(1836~1905)이 편찬한 강목체 한국사인데, 신라(통일신라 이후), 고려, 조선(철종 이전)을 아우르는 최초의 한국 통사였다. 이후 송병선의 문인 김재홍金在洪(1867~1939)이 《동감강목》 원편의 의례에 따라 전편(단군조선~삼국)을 편찬했고, 다시 김재홍의 아들 김종가金種嘉(1889~1975)가 속편(조선 고종·순종. 부록 3·1운동. 임시정부)을 편찬했다. 송병선이 《동감강목》 서문(1900)을 지은 이래 문인들의 끈질긴 노력으로 72년의 세월을 거쳐 단군조선부터 대한민국임시정부에 이르는 장구한 한국사가 강목체 사서로 세상에 출현하였다. 그런 의미에서 전통 역사학의 마지막 완결은 대한민국 시기에 이루어졌다고 하겠다. 《동국통감》에서 《동감강목》까지 '동국사'의 역사적 전개는 그 자체로 중요한 사학사 현상이다.

《동감강목》은 시대 전환기 조선 유학자가 발휘한 맹자의 '일치일란一治一亂' 정신의 산물이었다. 맹자의 일치일란이란 무엇인가? 그것은 인간 세상에 난세가 들이닥칠 때마다 유가의 성현이 출현하여 치세를 추구했던 문명사의 전통을 자각하여 적극적으로 시대의 정학을 수립하는 것을 의미한다. 공맹과 정주의 학문이 난세의 도전에 대한 유교적 응전이었다면 서양에서 발원하는 새로운 난세의 도전에 직면하여 어떤 정학을 수립할 것인가? 송병선은 중국사에서 하·은·주 삼대의 본질인 충忠·질質·문文이 한국사에서 각각 신라·고려·조선에서 발현되는 것으로 보고 한국사에서의 삼대를 '동감東鑑'으로 창조하고자 했다. 동시에 역사적 사실의 핵심적인 요약에도 치력했는데, 예를 들어 조선 후기 영조대 균역법 실시에 관한 기사는 현재 학계의 연구 성과에 비추어 손색이 없다고 평가된다.

난세는 끝나지 않았다. 송병선은《동감강목》의 의례와 초본을 완성했으나 을사늑약 무효 투쟁을 위해 고종과 독대했다가 뜻을 이루지 못하고 자결했다. 스승의 죽음과 국가의 멸망 속에서 남원 유학자 김재홍은《동감강목》 원편의 최종 교정을 마쳤고 다시 전편을 추가 편찬하였다. 김재홍은 살아

생전 광복을 보지 못했으나 김종가는 대한민국의 새 세상을 맞이하였다. 비로소 조선 말기의 역사와 3·1운동과 임시정부의 최근사를 포함하는 속편을 편찬하여 《동감강목》 세트를 완성하였다. 그는 이제 안심할 수 있게 되었다. 1967년 발생한 이순신의 《난중일기》 도난 사건을 듣고 《동감강목》도 항시 그러한 위험에 처할 수 있음에 불안해하던 터였다. 동시에 광복이 찾아와 《동감강목》을 마무리하는 소명을 완수했음에 감격하며 한국사에서 광복의 의미를 반추했다. 광복이란 무엇인가?

일반적으로 한 번 멸망한 나라가 외국의 혹독한 지배에 놓여 있다가 다시 일어나 나라를 회복한 일은 역사에 유례가 드문 일이다. 한국은 한국으로 멸망했다가 한국으로 부활해서 한국을 이었다. 그래서 광복이다. 한국사에서 발생한 이 역사적인 사건의 의미는 무엇인가? 인간 세상은 약육강식의 법칙에 지배 받고 있으니 약국이 강국에 먹히는 것은 인사人事의 필연이건만 그럼에도 끝내 강국이 쓰러지고 약국이 광복했다면 이는 인사를 압도하는 천의天意의 작용이다. 따라서 한국의 광복사는 세속적인 인사의 역사가 아니라 초월적인 천의의 역사가 체현된 것으로 볼 수 있다. 그렇다면 한국의 광복을 실현한 하늘의 뜻에 비추어 한국사를 다시 쓰지 않으면 안 된다. 무엇이 하늘을 움직였는가? 한국인의 원혼과 의열이다. 무엇이 광복사의 핵심인가? 3·1운동과 대한민국임시정부이다. 광복사의 관점에서 본다면 국망 이전 대한제국과 광복 이후 대한민국을 연결하는 '국통國統'이 이것이다. 송병선의 중화 이념사로서의 한국사는 김종가에 이르러 광복 이념사로서의 한국사에 진입한다. 양자 모두 중화와 결합한 한국사, 천의와 결합한 한국사라는 점에서 한국사를 향한 보편사의 시점을 획득한다.

오늘은 광복절이다. 3·1운동 백주년의 광복절이다. 대한민국임시정부 백주년의 광복절이다. 광복절을 맞이하여 한국 근대 유학이 창출한 광복사를 돌아본다. 한국인의 원혼과 의열을 표장한《동감강목》의 마지막 페이지를 곱씹어본다.

3. 왕정인가, 공화정인가

근대 청양 유학자 임한주林翰周(1871~1954)는 한국 근대사의 산증인이다. 1895년 홍주의병에 참여했고 1919년 파리장서 운동에 참여했으며 1927년 유교부식회 지부장을 맡았다. 임한주의 조카 임경호林敬鎬(1888~1945)는 임시정부 국내 특파원과 조선물산장려회 이사로 활동하였다. 임한주의 문인 임긍호林兢鎬(1901~1964)는 임시정부 국내 특파원으로 활동하고 반민특위에 참여했다. 임한주가 마흔을 전후한 시기 한국의 국망과 청국의 혁명이 차례로 일어났다. 청국의 혁명은 한국의 유림 사회에 유교 왕정과 서양 공화정에 관한 논의를 촉발시켰다. 왕정인가, 공화정인가? 임한주는 나그네와 함께 산중문답을 나누었다.

〔번역〕

(전략) 나그네가 말했다.

"이것은 그렇겠습니다. 그대와 더불어 천하의 일을 범론汎論하고 싶은데 괜찮겠습니까?"

주인이 말했다.

"말씀해보시오."

"지금 천하에는 제국주의가 있고 민국주의가 있습니다. 공화정치가 있고 전제정치가 있습니다. 이 네 가지는 또한 우열을 말할 수 있습니까?"

"제국이라 하는 것은 황실이 있고 정부가 있음을 이르오. 임금과 신하가 시키고 돕는 것이 처음엔 모양을 이루었소만 단지 황실이라 높여놓고 부귀를 누리게 하나 정치에는 간여하지 못하게 하니 나는 그것이 무슨 말인지 모르겠소. 옛날엔 하급 관리도 모두 하는 일이 있어서 위로부터 급료를 얻었는데 지금 우뚝 한 나라의 군주가 되어 자리나 차지하고 상중喪中에 있는 것처럼 되니 어찌된 일이오? 명칭은 있으나 실질은 없으니 도리어 민국의 주지主旨만도 못하오.

민국의 경우 민권民權과 정당政黨이 공의公議로 정치를 행하오. 민당民黨이 원하지 않는 것을 정부가 감히 함부로 하지 못하니 백성과 더불어 좋아하고 싫어함을 함께한다는 뜻에서는 합당한 듯하오. 그러나 민당이 반드시 모두 군자는 아니고 정부가 반드시 모두 소인은 아닌데 민당의 말을 어찌 다 믿고 정부의 말을 어찌 다 버리겠소? 따를 것인가 어길 것인가 말이 어지럽고 시비가 흐릿한 것이 비유컨대 마치 죽을 끓이는 저녁에 어른에게 한 사발이 부족하면 어른이 없는 집에서는 뭇 아이들이 모두 다투는 것과 같소. 또 정부라고 하는 것이 봉록이 무거운 높은 벼슬아치라서 민당에 비할 바가 아니니 반드시 백성의 말을 기다려 정치를 행한다면 이 정부를 어디에 쓰겠소?

공화라고 하는 것은 위와 아래가 함께 화합함을 이르고 전제라고 하는 것은 한 사람이 통치함을 이르오. 이러한 명칭은 역대로 누차 변해서 오늘날 서양 사람의 학설도 이런지는 모르겠소만 대개는 이렇소. '공화' 두 글자는 본래 서주西周의 여왕厲王과 선왕宣王 사이에 나와 요새 사람이 이를 차용하는데 그 뜻은 민국의 주지와 대략 서로 비슷하오. 전제라는 것의 경우 삼대 이하 송宋·명明의 정치가 모두 이것이오.

그 우열을 하필 말한 뒤에야 알겠소?"

나그네가 말했다.

"하늘이 이 백성을 낳음에 이를 위해 사목司牧을 세우니 이에 백성이 되었습니다. 이 때문에 맹자는 '백성이 중하고 사직이 다음이고 임금이 그다음이다'라고 했습니다.[37] 주자도 '천하는 한 사람의 천하가 아니다. 곧 천하의 천하이다'라고 했습니다.[38] 거룩하고 밝은 제왕은 이러함을 알았기 때문에 음식과 의복은 검소했고 정치할 때에는 근심하고 조심했습니다. 백성을 보기를 다친 사람 보듯 했고 널리 베풀어 뭇 사람을 구원했습니다. 천하로서 한 사람을 받들지 않고 한 사람으로서 천하를 다스렸습니다. 백성이 이 세상에 태어나 분수가 편안하고 살아갈 힘이 충분했습니다. 때문에 전제를 해도 해롭지 않았습니다. 불행히도 하나라 계癸(=걸왕), 상나

---

37 《맹자·진심》에 '맹자가 말하기를 백성이 귀하고 사직이 다음이고 임금이 가볍다'라는 구절이 있다. 맹자는 '임금이 가볍다'라고 했는데 임한주의 글에서는 '임금이 그다음이다'라고 표현을 달리했다.

38 《맹자·만장》에 '요는 천하를 순에게 주었습니다. 그런가요?'라는 만장의 질문과 '천자는 천하를 남에게 줄 수 없다'라는 맹자의 대답이 있는데 이 구절에 대한 《맹자집주》의 주석에 '천하는 천하의 천하이니 한 사람이 사유할 수 없기 때문이다'라는 구절이 있다. 이 때문에 주자의 말이라고 생각한 것 같다.

라 신辛(=주왕), 진나라 정政(=시황제), 수나라 광廣(=양제)의 무리가 위에 있으니 백성이 도탄에 빠져 살아갈 수 없었습니다. 예로부터 임금이 된 자는 선정은 항상 적고 악정은 항상 많으며 백성은 그 사이에 있으면서 즐거움은 항상 적고 괴로움은 항상 많았습니다. 하늘이 이 백성을 낳은 뜻이 어찌 이러하기를 원해서였겠습니까? 그러니 민주·공화의 정치가 그래도 전제보다 낫지 않겠습니까?"

주인이 말했다.

"성인의 법이라도 오래되면 폐단이 발생하니 또한 이치가 항상 그렇소. 밝고 슬기로운 사람만이 제때에 변혁하고 올바른 도로 구원하나 대체大體는 변할 수가 없소. 하늘이 백성을 낳음에 욕망은 있고 주인이 없으면 곧 화란이 일어나니 반드시 한 사람을 시켜 만물을 통리統理토록 하여 쟁탈을 다스리고 생양生養을 이루게 하였소. 공자는 '하늘은 높고 땅은 낮으니 귀천이 제자리를 얻었다'고 하였소.[39] 또 '하늘에 두 해

---

39 《주역·계사전繫辭傳》에 '하늘은 높고 땅은 낮으니 건과 곤이 정해지고 낮은 것과 높은 것이 진열되니 귀와 천이 자리한다天尊地卑, 乾坤定矣. 卑高以陳, 貴賤位矣'라는 구절이 있다.

가 없고 땅에 두 임금이 없다'고 하였소.[40] 이것은 천지의 변함 없는 정해진 이치이오. 천지가 멸망하지 않는다면 이 이치는 미상불 그 사이에서 행하겠지만 중간에 극도의 혼란을 만나면 사람들마다 제왕이라 칭하리니 이는 기수氣數의 변고이며 생민生民의 불행이오. 그대를 위해 자세히 말해도 되겠소?"(후략)

〔원문〕

…… 客曰: "此則然矣. 請與子汎論天下事, 可乎?"

主人曰: "試言之."

曰: "今天下有帝國主義, 有民國主義, 有共和政治, 有專制政治, 此四者亦有優劣之可言乎?"

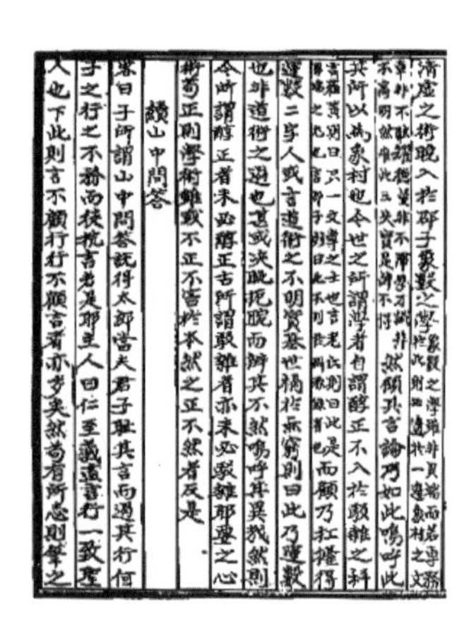

淸虛之術晩入於邵子象數之學

其所以爲象村也今世之所謂學者自謂醇正不入於駁雜之科

運數二字人或言道術之不明實基世禍於無窮則曰此乃運數

也非道術之過也甚或決眦扼腕而歸其不然嗚呼其異哉然則

今所謂醇正者未必醇正古所謂駁雜者亦未必駁雜耶要之心

術苟正則學術雖或不正不害於本然之正不然者反是

續山中問答

客曰子所謂山中問答旣得太郎當夫君子聽其言而觀其行何

子之行之不務而徒執言者是耶主人曰仁至義盡言行一致聖

人也下此則言不顧行行不顧言者亦多矣然苟有所志則擧之

---

40 《예기禮記·증자문曾子問》에 증자가 '상에는 두 사람의 상주가 있고 사당에는 두 신주가 있다고 하는데 예에 맞습니까?喪有二孤, 廟有二主, 禮與'라고 묻자 공자는 '하늘에 두 해가 없고 땅에 두 임금이 없다天無二日, 土無二王'라고 답한 구절이 있다.

曰: “所謂帝國者, 有皇室有政府之謂也. 君臣佐使, 初成模樣, 然但尊之爲皇室, 使享其富貴, 而不與乎政治. 吾不知其何說也. 古者府史胥徒亦皆有所事, 而仰食於上, 今巍然爲一國之主, 而尸居素食, 何也? 名存而實無, 反不如民國主旨矣. 至於民國則民權與政黨, 公議行政, 民黨所不欲, 政府不敢擅爲, 則其於與民好惡之意, 似爲得之, 然民黨未必皆君子, 政府未必皆小人, 則民黨之言何可盡信, 政府之言亦何可盡廢? 從違之間, 言議紛拏, 是非眩瞀, 譬如煮粥之夕, 長少一鉢, 無長之家, 群兒並爭矣, 且所謂政府者必高官重祿, 非民黨之比, 而必待民言而行政, 亦焉用此政府爲哉? 所謂共和者, 上下共和之謂也. 專制者, 以一人統治之謂也. 此等名言, 歷世屢變, 不知今日西人之說亦如此, 然大槩則若是爾. 共和二字, 本出於西周厲宣之間, 而今人借用之, 其義與民國主旨略相似, 至於專制云者, 三代以下, 至于宋明之治, 皆是也. 其優其劣, 何待於言而後知耶?”

客曰: “天生斯民, 立之司牧, 乃爲民也. 是故孟子曰: 民爲重, 社稷次之, 君次之. 朱子亦曰: 天下者, 非一人之天下, 乃天下之天下, 聖帝明主, 知其如此, 故菲食惡衣, 憂勤惕厲, 視民如傷, 博施濟衆, 不以天下奉一人, 而以一人治天下, 民生斯世,分安而力足, 故無害於專制矣. 不幸而夏癸商辛秦政隋廣之類在上, 則民墜塗炭, 無以聊生. 自古爲君者, 善恒少而惡恒多, 民在其間, 樂恒少而苦恒多, 天生斯民之意, 豈欲其如是也? 然則民主共和之治, 不猶愈於專制乎?"

主人曰: "雖聖人之法, 久則弊生, 亦理之常也. 惟明智之人, 隨時變革, 捄之以道, 然其大體, 不可變也. 惟天生民, 有欲無主乃亂, 必使一人統理萬物, 治其爭奪, 遂其生養. 仲尼曰: 天尊地卑, 貴賤位矣. 又曰 天無二日, 土無二王, 此天地不易之定理也. 天地不滅, 則此理未嘗不行於其間, 而間値昏亂之極, 則人人稱帝, 人人稱王, 此氣數之變, 而生民之不幸也. 請爲子詳言, 可乎?" ……

[출전] 임한주林翰周, 《성헌집惺軒集》 권5 〈속산중문답續山中問答〉

〔해설〕

1919년 반포된 대한민국임시헌장의 제1조는 '대한민국은 민주공화제로 한다'이다. 오늘날의 헌법에 해당하는 헌장에 '대한민국'과 '민주공화제'가 나란히 명기되어 있다. 여기서 '대한민국'이란 일본에 빼앗긴 나라를 광복한다는 의지가 들어간 '대한', 그리고 백성이 주인이 되는 새 국가를 만든다는 뜻이 들어간 '민국'이 결합된 국호이다. '민주공화제'란 대한민국이라는 새 나라의 새 정치가 군주국의 전제정치에서 벗어난 공화국의 민주정치임을 천명한 것이다. 대한민국임시헌장에 '민주공화제'를 명기한 것은 세계 헌법사에 비추어 이례적인 사건으로 간주된다. 유럽에서도 헌법에 민주공화국이 명기된 것은 1920년 체코슬로바키아 헌법과 오스트리아 연방 헌법으로 알려져 있다.

대한민국임시정부 수립 당시 국내에는 대한제국의 마지막 황제 융희제가 생존해 있었다. 황제가 있음에도 해외에서 공화국을 출범시켰다는 것. 1920년 신년 축하회에서 안창호는 말했다. "오늘날 우리나라에 황제가 있다. 과거의 대한에 황제는 한 사람이지만 지금은 2천만 국민이 모두 황제이다." 이것은 국가 주권이 황제에서 이제 국민으로 옮겨왔다는 인식 하에 가능했다. 1917년 박은식·신채호·조소앙 등이 발표한 〈대동단결선언大同團結宣言〉은 융희제가 국가 주권을 포기한 날, 곧 1910년 8월 29일이 다름 아닌 한국 국민이 국가 주권을 계승한 날이고, 따라서 이날이 구한舊韓의 마지막 날인 동시에 신한新韓의 첫날이라고 명시하였다. 미주 지역의 한인 사회는 이미 1910년 대한제국 정부가 일본에 투항했으니 인민 정신을 대표해 가정부假政府를 세우겠다고 밝혔고 해외 한인을 결집할 수 있는 '무형정부無形政府'를 구성하자고 제안했다. 대한제국 광무제가 강제 퇴위했던 1907년 박은식이 번역한 《서사건국지瑞士建國誌》는 스위스 인민이 외국인 압제자를 몰아내고 자유를 되찾은 빌헬름 텔 이야기인바, 유럽의 대표적 공화국 스위스의 건국 이야기에서 한국의 새로운 미래를 응시하려는 의도에서 나온 번역물이었다.

그러나 한국 사회에서 공화가 커다란 논란거리가 된 것은 중국의 신해혁명 때문이었다. 중국의 수천 년 왕정을 쓰러뜨린 혁명의 결과 들어선 중화민국이라는 정치적 실험이 어떤 결과를 초래할까? 중국의 미래에 한국의 미래를 연결시켜 생각하는 데 친숙했던 동시기 한국의 유학자에게 중국의 공화정은 유교 왕정 체제의 완전한 종말을 의미하는 대사건으로 비쳐졌다. 1912년 유인석(1842~1915)은 중화민국 총통 원세개에게 편지를 보내 '중화민국'의 이율배반적인 문제를 지적했다. 신해혁명은 분명 청이 물러나고 중화가 출현한 혁명인데 혁명의 결과는 서양의 공화정치이며 중화의 제통帝統, 전장典章, 의발衣髮을 회복하지 않으니 나라 이름은 중화이나 실질이 없다는 것, 곧 중화와 민국의 상호 모순이었다. 유인석은 신해혁명이 청에 대한 혁명이 아니라 요순 이하 4천 년에 대한 혁명이라는 관점에 동의할 수 없었다. 왕정인가 공화정인가의 문제가 중국의 요순문무堯舜文武인가 서양의 워싱턴인가 하는 동서 택일의 문제라면 타협의 여지가 없는 것이었다. 그에게 한국의 독립이란 중국에서 대중화가 회복되어 한국에서 소중화가 회복되는 중화 문명의 재건이었기 때문이다.

공화정을 둘러싼 중요한 논란거리는 폭정의 위험과 예방이었다. 자연 상태에서 일어나는 온갖 혼란을 종식하고 왕정이 들어섰지만 왕위 세습 과정에서 필연적으로 폭군이 일어나 백성을 도탄에 빠뜨릴 위험이 크다면 왕정의 리스크를 줄이기 위해서는 공화정이 합리적인 대안처럼 보일 수도 있다. 그러나 조긍섭曺兢燮(1873~1933)이 지적했듯이 공화정의 정치 참여층의 기본적인 덕성이 마련되지 못한 상황에서라면 공자 후보, 맹자 후보가 대통령에 당선될 가능성은 적고 대통령 자리를 둘러싼 치열한 대립 속에 정치적 혼란이 가속화될 가능성이 높았다. 이병헌李炳憲(1870~1940)은 공화제 하의 중국인이 격심한 당쟁을 벌이며 국가가 무엇인지 모르고 있으니 이러한 상황에서 공화를 말하고 자유를 말하는 것은 성인이 아니면 바보라고 비평하였다. 임한주는 심지어 공화제를 취한 국가의 대통령이 왕왕 하민에게 피살되는 정치 불안을 언급했다. 1910년대 신해혁명과 중국 공화정의 전개는 동시기 한국 유학자의 공화 담론을 활성화시킨 주된 배경이었다.

중화민국 초기의 공화정과 대한민국임시정부 초기의 공화정을 모두 목도한 한국인이 체감한 공화란 무엇이었을까? 그러나 왕정인가 공화정인가 하는 물음이 공화의 전부일까? 미국 건국 이념의 핵심 키워드가 자유주의의 권리인가 공화주의의 덕인가 하는 물음을 한국사에도 던질 수 있을까? 3·1의 '대표'와 5·18의 '시민군', 그리고 촛불혁명의 '촛불'은 한국의 공화주의를 위해 무엇을 말할 수 있을까? 공화정에서 공화주의로 시선을 옮길 때 한국의 공화에 관해 더 많은 것을 말할 수 있으리라.

4. 신해혁명, 다이쇼 정변, 고종의 밀지

1912년 청국의 황제 선통제가 퇴위했다. 일본의 천황 메이지가 사거했다. 중국은 조선과 인연이 깊은 원세개가 총통이 되었다. 일본은 번벌 타도와 헌정 옹호를 외치는 국민운동 속에 다이쇼 정변이 성사되었다. 이 격변기에 조선의 전 황제 고종은 밀지를 내려 광복을 지시했다. 밀지를 받고 독립의군부 전라남북도 순무대장이 된 임병찬林炳贊(1851~1916)은 생각했다. 중국은 민국이 되었다. 일본은 민당이 득세하고 있다. 우리도 민권을 앞세워 합세한다면 독립을 회복할 수 있을까?

〔번역〕

문: 일본 민당民黨이 대한을 독립시켜 국권을 돌려줄 뜻으로 논의가 있어서 그 사이에 어쩌면 어쩌면 하는 희망이 있다는데 어떠한가?

답: 이 기회가 그런 것 같지만 그렇지 않은 것이 있고 그렇지 않은 것 같지만 더러 그런 것이 있으니 한껏 생각하고 묵묵히 이해하지 않는다면 어찌 저들을 알겠는가? 다만 이 기회를 누설해서는 안 되니 십분 입조심해서 대사를 그르치지 말라.

내가 붙잡혀서 대마도에 있을 때에 일본 역사책을 보았는데 일본 임금의 비조인 신무천황神武天皇은 곧 옛날 영웅호걸의 군주였다. 나라의 제도를 정하는데 황제는 궁중 깊숙한데 편안히 거처하며 나랏일에 관여하지 않고 정권과 군권을 모두 막부에게 주어 자유롭게 처리하게 했다. 나라의 흥폐와 존망이 모두 막부에게 있었고 황제와는 무관하니 우리나라 속담에서 말하는 '예황제例皇帝'였고 막부는 곧 관백關伯이었다. 이 때문에 나라를 누린 것이 이천여 년이니 어찌 아름답고 성대하지 아니한가? 사물이 오래되면 변하는 것은 이치가 항상 그러하다. 천지도 개벽하는데 하물며 일본 군주이겠는가? 메이지가 막부를 폐하고 스스로 주관함이 곧 망국의 조짐이었다. 임금이 인의와 덕화로 다스리면 그 운수가 오래가고 권사權詐와 강포强暴로 주관하면 그 운수가 촉박하다. 영특한 오패五霸도 모두 한 세대가 지나지 않아 폐지되었고 웅강한 진시황도 2세에 이르러 망했으니 천리의 밝음을 헤아리지 않을 수 있겠는가? 나는 메이지가 필시 당대에 멸망할 줄로 생각했는데 다이쇼까지 전해지니 의아하긴 하지만 다이쇼는 아마 이를 면하지 못할 것이다!

또 그때 통역 카와카미川上에게 들었는데 메이지 개화할 때 막부는 공작에 봉하고 36국의 국주國主는 후작에 봉했는데 봉록은 후하지만 은행에 예치해서 이자를 취해 매달 지급하니 감금된 것과 똑같은지라 저 37인의 수하의 좌사左使가 어찌 불평하는 마음이 없겠는가? 옛날로 돌아가려는 음모가 성사되기 전에 먼저 누설되는 바람에 걸려들어 죽기도 하고 처결되어 복역하기도 하니 더러 장사치로 이름을 걸고 더러 노동자로 자취를 감추었다. 수십 년 이래 이미 사망한 경우엔 자손의 원한이 뼈에 사무치고 아직 살아있으면 당사자의 분노가 하늘가에 닿아 좋은 기회를 엿보는 자가 모두 민당 사람들이다. 메이지 사후 비로소 운동이 싹터서 민당은 번별을 벽파劈破하고 '공화共和'와 '자강自强'을 논의한다고 한다. 번벌은 조선과 만주와 대만인데 조선총독부와 만주와 대만의 두 곳 도독부都督府에 매년 경비가 수억만 원 이상이라 외국의 채권을 들여오고 국내의 세금을 증대하여 나라가 장차 망하고 백성을 지키지 못하니 '벽파'가 옳다는 것이고, '공화'는 황제를 폐하고 대통령을 세워 민주공화라 하니, 이것이 그런 것 같지만 그렇지 않음이 있는 것은 어째서인가? 이 논의에서 번벌 벽파는 객이고 공화자강이 주인데 만약 공화하면 전일 막부가 대통령이 되고[41] 36국이 국주를 회복하면 다이쇼는 청나라 선통제宣統帝와 비슷해지고 정당은 전일 막부의 좌사와 비슷해지니 정당 중에 어찌 이 계책을 간파할 사람이 없겠는가? 때문에 데라우치 등이 철두철미 결사적으로 불응하고는 "총독부 경비를 본국에 심려 끼칠 필요가 없으니 각각의 해당 지방에서 주선해서 미봉할 일이오 번벌을 벽파하면 이는 스스로 쇠약해짐이라 어떻게 열강에게 위세

41 도쿠가와 종가 제16대 당주 도쿠가와 이에사토德川家達(1863~1940)는 1914년 야마모토 내각이 붕괴한 후 수상 후보로 거명되었으나 도쿠가와의 정권 관여를 사양한다고 말하고 사퇴하였다.

를 보이겠는가?"라고 말했다. 가을에 정당이 몰래 국회 정지와 민당 파괴를 의논하는 음모를 꾸미다 민당에게 간파되어 민정이 크게 동요해 지금 양력 12월 20일 후에 국회를 열려고 하지만 정당이 백계를 써서 반대할 것이니 이것이 그렇지 않음이 있다는 것이다.

정당이 이렇게 버티고 반대할 뿐더러 통론하면 일본이 허다한 해 공을 들여 천만 파운드 국채를 써서 간신히 합방合邦하고 개명정치開明政治라 이름하여 병참을 연결하고 도로를 수축하며 토지의 매입과 본국인 식민 등 허다한 사업이 천만 년 계책일 듯한데 어찌 대번에 국권을 돌려주고 물러갈 수 있겠는가? 이것은 그렇지 않은 것 같은데 거기에 그런 것 같음이 있음은 어째서인가? 한국을 독립시켜 국권을 돌려주자는 논의가 합방하자는 계책보다 뛰어나기 때문이다. 저들은 반드시 "어쩌자고 합방해서 열강에게 주목받으며 매년 본국 재정을 취해 총독부 경비를 보조하느냐? 조선 인심이 열복한다 하지만 이른바 열복은 불과 일진회一進會와 구정당舊政黨이고 아첨은 재산가가 자기 지키는 계책이고 나머지는 모두 불평당不平黨이다. 청과 러시아 두 나라가 유감을 품은 지 몇 년 되니 조만간 전쟁이 일어날 염려가 없지 않은데 만약 개전하는 날 조선 불평당이 바깥과 체결하고 폭동을 일으키면 이는 안팎으로 적을 맞이하는 것이다. 만약 독립을 돌려주고 옛 황제를 세우면 임금과 백성이 모두 우리 은혜에 감사하리니 그런 뒤에 군권과 정권을 우리가 굳게 쥐고 만약 불평당이 있으면 황제의 명으로 압제하면 만전의 계책이라 이를 만하다"고 할 것이다. 이 계책이 뛰어나다면 뛰어나다 하겠지만 정당이 필시 끝내 기꺼워하지 않을 것이다. 정당이 있는 날에는 국권을 돌려줄지 여부를 아직 기대할 수 없지만 다만 민당의 계책은 한국 독립을 중시하는 것이 아니라 음모를 품어 천황을 폐하고 대통령을 세우고 36국을 회복하는 것이 커다란 욕망이다. 저들 나라 형세로 논하면 메이지, 이토 히로부미,[42] 아리스가와노미야有栖川宮,[43] 가쓰라 다로桂太

---

42 1841년 출생해 1909년 피살됐다. 정치가. 조슈長州번 출신. 요시다 쇼인吉田松陰 문하생으로 영국에 유학을 갔고 메이지유신 후 일본 내각을 이끌었다. 1895년 시모노세키조약 당시 일본 측 전권대사였고 1905년 을사늑약 당시 일본 측 전권대사였다. 1906년 한국 통감부 초대 통감으로 부임했고 1909년 한국병합을 결정하고 통감을 사직했다. 1909년 10월 26일 하얼빈 역에서 안중근 의사에게 사살되었다.

43 에도시대부터 존재한 세습 친왕의 궁가이다. 1625년 요시히토 신노好仁親王가 창설했는데 처음 당호는 다카마쓰미야高松宮였다. 여기서는 이 궁가의 10대 친왕 다케히토 신노威仁親王를 가리킨다. 1862년 출생해 1913년 타계했다. 해군대장을 지

郎,[44] 노기 마레스케乃木希典[45]가 이미 죽었고 남은 사람은 데라우치 마사다케寺內正毅[46] 등 한두 사람이고 민당은 야마가타 아리토모山縣有朋[47]와 하세가와 요시미치長谷川好道[48]도 민

냈다.

44 1848년 출생해 1913년 타계했다. 일본의 군인, 정치가. 청일전쟁에 참전했고 대만 총독을 거쳐 메이지 내각의 수상이 되었다. 가쓰라 제1차 내각(1901~1905) 때 영일동맹과 러일전쟁이 있었고, 가쓰라 제2차 내각(1908~1911) 때 한국병합이 있었다. 본래 야마가타 아리토모山縣有朋의 벌족 세력이었으나 가쓰라 제3차 내각(1912~1913) 때 신정당을 세웠다. 이 기간 호헌운동이 일어나 결국 퇴진하고 말았다.

45 1849년 출생해 1912년 타계했다. 일본의 군인, 교육자. 청일전쟁과 대만전쟁에 참전했고 대만 총독이 되었다. 러일전쟁에 참여해 뤼순 포위 작전으로 명성을 떨쳤다. 1907년 가쿠쇼인學習院 원장에 임명되었다. 1912년 9월 메이지의 대상大喪이 치러진 날 자살했다.

46 1852년 출생해 1919년 타계했다. 일본의 군인, 정치가. 1901년 가쓰라 제1차 내각에서 육군대신이 된 이래 내각에서 여러 차례 육군에 관여했다. 1910년 제3대 통감이 되었고 곧 병합조약을 거쳐 조선총독부 초대 총독이 되어 무단통치를 자행했다. 1916년 조선총독을 사임하고 일본 내각 총리대신이 되어 일본군의 시베리아 출병을 단행했다. 1918년 일본 각지의 쌀 폭동을 군대로 진압했고 결국 사직했다.

47 1838년 출생해 1922년 타계했다. 일본의 군인, 정치가. 1885년 내각제도가 시작되자 초대 내무대신이 되었다. 육군대신을 거쳐 총리대신이 되었고, 청일전쟁과 러일전쟁에서 일본 육군을 이끌었다. 가쓰라 다로와 데라우치 마사다케 등 계파 벌족 세력을 키워 일본 정계를 좌우했다. 1913년 호헌운동이 일어나 가쓰라 제3차 내각이 무너진 배경에는 야마가타 벌족 비판의 사회적 확산이 있었다.

48 1850년 출생해 1924년 타계했다. 일본의 군인, 정치가. 청일전쟁과 러일전쟁에

당 사람들이고 오쿠마 시게노부大隈重信,[49] 오자키 유키오尾崎行雄,[50] 이누카이 쯔요시犬養毅[51]가 모두 국내 명망인이다.

서 전공을 세웠다. 1904년 육군대장으로 승진해 한국 주차군 사령관에 취임했고, 1916년 데라우치 마사다케의 뒤를 이어 조선총독부 총독이 되었다. 1919년 조선 전역에 일어난 3·1운동에 대한 유혈 탄압으로 인해 총독에서 물러났다.

49 1838년 출생해 1922년 타계했다. 일본의 정치가, 교육자. 사가번 출신으로 고도칸弘道館에서 주자학을 중심으로 유교 교육을 받았다. 자유민권운동이 일어나자 입헌개진당을 설립해 당수가 되었다. 와세다대학 총장과 일본문명협회 회장을 역임했다. 일본 내각을 두 차례 이끌었는데, 오쿠마 제2차 내각의 일본은 1차 세계대전에 참전해 산동반도를 점령하고 중국에 악명 높은 21개조를 요구했다.

50 1858년 출생해 1954년 타계했다. 일본의 정치가. 1882년 《호시신문報知新聞》의 논설위원이 되었고 오쿠마 시게노부가 설립한 입헌개진당에 참여했다. 1898년 문부대신이 되었으나 공화 연설 사건으로 사임했다. 1900년 이토 히로부미가 설립한 입헌정우회에 참여했다. 가쓰라 제3차 내각 당시 호헌운동에서 입헌정우회를 대표해 가쓰라를 규탄하는 연설로 다이쇼 정변을 격발시켰다. 오쿠마 제2차 내각 때 사법대신이 되었다. 다이쇼 데모크라시 기간 보통선거운동, 여성참정권운동에 참여했고, 군국주의에 반대하고 의회제 민주주의를 옹호하였다.

51 1855년 출생해 1932년 타계했다. 일본의 정치가. 1882년 오쿠마 시게노부가 창립한 입헌개진당에 참가했고 《일본 및 일본인》으로 군벌과 재벌을 비판했다. 1890년 제1회 중의원 의원에 당선되어 42년간 계속했다. 1898년 제1차 오쿠마 내각에서 공화 연설 사건으로 사임한 오자키 유키오를 이어 문부대신이 되었다. 1913년 제1차 호헌운동으로 제3차 가쓰라 내각 타도에 기여했고 오자키 유키오와 더불어 '헌정의 신'이라 불렸다. 1929년 입헌정우회 총재가 되었으며 1931년 만주사변이 일어나자 야당 총재로 총리대신이 되었다. 만주국 승인 문제와 군축 문제로 군부와 대립하다 1932년 5·15사건으로 암살되었다.

다이쇼는 암약하고 정당은 고단하여 1차 거조[52]가 그치지 않으리니 내 생각에는 오는 봄 국회 후에 큰 변란이 있을 텐데 민당이 득세하는 날 우리나라도 민권을 명분으로 거국적으로 합세하여 움직인다면 좋은 도리가 될 것 같다. 기회를 놓치지 말아야 할 텐데 안타깝고 근심스럽다.

〔원문〕

問日本民黨이大韓獨立還權之意로有論하야其間에有幾乎幾乎之望云하니何如오曰此機가似然而有不然者하고似不然而有或然者하니若不窮思默會면何以知彼리오但此機를不可洩이니十分愼口하야毋誤大事하라余俘在對馬島時에得見日本

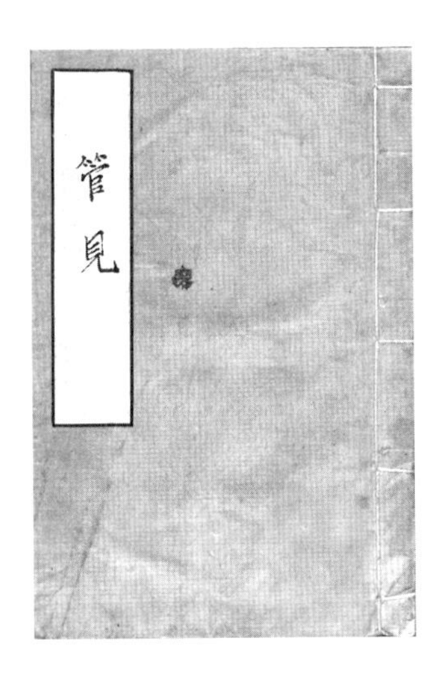

52 1913년에 일어난 제1차 호헌운동을 말한다. 일본 각지에서 번벌 타파와 헌정 옹호를 외치는 국민운동이 전개되었고 이로 인해 번벌 세력인 가쓰라 내각이 무너졌다.

歷史하니日主鼻祖神武天皇은卽往古英傑之主也라定其國規
호대皇帝난深宮安居하야不與國事하고一應政權軍權등을付之
幕府하야使之自由하니興廢存亡이都在於幕府오無關於皇帝라
我國諺傳에所謂例皇帝也오幕府는卽關伯也라以是而享國
二千餘年하니豈不美且盛哉아物久則變은理之常也라天地도
開闢커든況日本君主乎아明治之廢幕府而自主가卽亡國之朕
也니라君以仁義德化治之則其祚가長하고以權詐强暴로主之
則其祚가促하나니以五霸之英特으로도並無過一世而廢오以秦
皇之雄强으로도至二世而亡하니天理昭然을可不逆推乎아吾料
明治之亡이必在當世러니傳至大正하니亦可訝也라然이나大正
은其不免乎인져且聞其時通譯川上하니明治開化時에幕府난封
公爵하고三十六國國主난封侯爵하고俸祿雖厚나儲於銀行而
取其利子하야每朔支給하니便同監禁이라하니那三十七人手下
左使가安得無不平之心乎아復舊之陰謀가未成而先洩하야有
罹死者하고有處役者하니或托名於商賈하고或晦跡於勞働하야
數十年來에或已沒而子孫之怨恨이刻骨하고或生在而當者之
忿怨이徹穹하야惟伺好機者가皆是民黨中人也라明治死后에
始乃萌動하야民黨이有劈破藩閥하고共和而自强之論이라하니
藩閥者난朝鮮滿洲臺灣야니朝鮮之總督府와滿洲臺灣兩處都

督府에每年經費가不下數億萬圜이라借外國之債하고增國內之稅하야國將亡而民莫保하니劈破가可也오共和者는廢皇帝立大統領하야民主共和也라하니此是似然者而其有不然者난何오此論中에劈破藩閥者난客也오共和自强者난主也니若共和則前日幕府가爲大統領하고三十六國이復其主하면大正은似淸國之宣統이오政黨은似前日幕府之左使也리니政黨中에豈無識破其計者耶아所以로寺內等이埋頭抵死而不應하고乃曰總督府經費를不必貽慮於本國이라自各該地方으로周旋彌縫이오藩閥劈破하면是自弱也라何以施威於列强고하야秋間에政黨이秘議停國會破民黨之謀러니爲民黨之所識破하야民情이大動하야今以陽曆十二月念後에開國會나然이나政黨則百計反對하리니此是有不然者也오政黨이如是持貳할뿐더러統而論之하면日本이績許多年工夫하고費千萬鎊國債하야纔爲合邦하고名以開明政治하야聯絡兵站하고修治道路하며買土植民等許多事爲가似是萬年之計也니何可遽然還權而退去乎아此是似不然者也로대其有似然者난何오韓國獨立還權之論이高於合邦之策이라彼必曰胡爲合邦하야爲列强之所注目이며每年에取本國之財하야補總督府之經費耶아朝鮮人心이雖曰悅服이나所謂悅服者난不過一進會와舊政黨也오納媚者난無非財産家自保之計

也오其餘난皆是不平黨也라淸露兩國이含憾有年하니早晩에不無戰爭之慮라若當開仗之日에朝鮮不平黨이締結暴動하면是는腹背受賊이오今若還其獨立하고立其舊帝하면君民이皆感我恩하리니然後에軍權政權을自我堅執하고如有不平黨이면以其皇命으로壓制之면可謂萬全之策이라하니此計가高則高의나政黨이必終不肯矣리니政黨在日에난還權與否를未可必也로대但民黨之計가不以韓國獨立으로爲重이오乃懷陰謀하야廢帝立大統領하고復其三十六國이是大欲也니以彼國之勢로論之則明治伊藤有栖川宮桂太郞乃木等數雄이已沒하고所存者寺內等一二人이오民黨은山縣有朋長谷川도亦民黨中人也오大隈尾崎犬養毅가皆國內望人也라大正은暗弱하고政黨은孤單하니一次擧措가在所不已라以愚見으로度之則明春國會之後에必有大變矣리니民黨得勢之日에我國도亦以民權爲名하야擧國合動이면庶幾有好道理也니此機를不可失이라可惜可憂로다

[출처] 임병찬林炳贊, 《둔헌유고遯軒遺稿》 권4 〈관견管見〉

〔해설〕

1914년 오스트리아-헝가리의 황태자 부부가 사라예보에서 세르비아계 보스니아 청년에게 살해된 사건은 세계사에서 유명하다. 유럽의 화약고 발칸에서 일어난 불길은 삽시간에 번져 제1차 세계대전으로 타올랐다. 사라예보 사건의 직접적 원인은 1908년 10월 오스트리아-헝가리가 러일전쟁 이후 러시아의 약세를 배경으로 보스니아-헤르체고비나의 병합을 선포하고 이듬해 3월 병합을 단행했던 데 있다. 병합이 끝나자 또 다른 병합이 시작되었다. 일본은 같은 해 같은 달 한국 병합 방침을 세워 넉 달 후 내각 회의에서 통과시켰고, 다시 이듬해 제2차 러일협약을 거쳐 한국 병합을 공포했다. 러시아 세력이 인접한 발칸반도와 한반도의 두 나라가 그렇게 차례로 이웃 나라에 병합되었다.

이로부터 한 해 지나 중국 대륙에서 청국을 타도하는 공화혁명이 일어났다. 러시아 세력이 침투해 있던 외몽골이 곧바로 독립을 선포하였고 영국과 러시아 사이의 완충 지역이던 티베트도 독립을 선언했다. 혁명 이전부터 이미 북만주와 남만주에 세력 경계를 확정하고 외몽골과 한국에서의 상대 세력을 인정한 러시아와 일본은 중국의 혼란을 배경으로 북경

경도를 기준 삼아 내몽골을 동서로 분할하는 협약을 체결했다. 혁명 이전부터 만주에 대한 문호개방을 추진한 미국의 이해와 맞부딪친 일본은 미국의 파나마운하 개통이 성사되기 전에 러시아와 제휴하여 동북아에서 세력 상승을 도모하였다. 신해혁명은 중국은 물론 그 주변부에 연쇄적인 변동을 일으켰다.

이 무렵 조선총독부 데라우치 총독은 일본 조슈파 육군 번벌의 배타적인 조선총독 독점을 배경으로 거침없이 무단통치를 자행했다. 조선인은 물론 조선에 있는 일본인의 언론을 탄압하고 서양 선교사를 압박하였다. 그의 관심사는 대륙 침략을 위한 조선의 인프라 정비, 특히 만주철도와 조선철도의 연결이었고, 이를 위해 거듭 내각에 재정 지원을 요청했다. 또한 청국의 혁명에 신속히 대응하기 위해 조선에 2개 사단(제19사단, 제20사단) 증설을 추진했고 곧이어 혁명이 일어나자 만주 출병과 중국 간섭을 주장했다. 결국 2개 사단 증설 문제를 앞세운 육군 조슈 번벌의 공세로 일본 내각이 붕괴했다. 그러나 국민총생산의 45퍼센트를 외채로 두고 있는 재정 위기 상황에서 일본의 제국주의적 팽창은 민중의 고통을 수반하는 것이었다. 급기야 번벌 타도와 헌정 옹호를 외치는 국민운동이 전개되었고, 결국 가쓰라 내각이 퇴진하는 다이쇼 정변으로 귀결했다.

중국과 일본에서의 동시적인 긴박한 상황 전개는 조선의 독립에 대한 기대를 북돋웠다. 조선의 고종은 비밀리에 〈의대조衣帶詔〉를 내렸다. "통痛하다! 도이島夷가 배신하고 합병하니 종사가 폐허가 되고 국민은 노예가 되었다. …… 믿는 것은 너희들이니 너희들은 힘써 광복光復하라. …… 이에 혈조血詔를 내리니 독립의군부를 조직하라……." 고종의 밀지는 궁내부 전직 관료와 홍주의병 및 태인의병 참여자에게 전달되었다. 이들은 일본의 정세 변화를 살피며 일본에서 민당이 번벌에게 승리한다면 국권 회복의 가능성이 있다고 보았고 다이쇼 정변이 일어난 직후인 1913년 3월 실제 거병을 모의했다. 최익현의 태인의병을 조직했던 옥구 향리 출신 임병찬도 여기에 참여했지만 즉각 거병보다는 양병에 힘을 쏟았고, 11월 자신의 투쟁 방략을 담은 글 〈관견〉을 지었다. 이듬해 5월 임병찬은 체포되었고 조직은 와해되었다. 그는 오쿠마 총리와 데라우치 총독에게 거듭 편지를 보내 한국의 국권 회복을 주장했고, 결국 거문도에 유배되어 순국하였다.

중국의 신해혁명과 일본의 다이쇼 정변, 그리고 한국의

독립의군부는 한 편의 세계사이다. 이 세계사에 참여한 임병찬의 〈관견〉은 천하 대세와 시국 형편, 그리고 지피지기의 통찰을 발휘한 글이다. 금년의 세계사를 바라보는 우리의 관견은 무엇일까?

5. 서간도, 홍콩, 광복군 임경업

20세기 벽두 중국은 의화단의 권법으로 서양을 몰아내려 하다가 연합군에게 수도가 함락되고 황제가 도주하는 참화를 겪었다. 한국 언론은 신속히 보도했다. 중국의 무기력한 패배는 같은 시기 남아프리카의 트랜스발과 오렌지 자유국이 영국군과 맞서 영웅적인 항쟁을 펼친 일과 비교하여 수치로 간주되었다. 총포에 권법으로 맞선 중국의 어리석음은 우산국 인민이 신라 장군 이사부의 나무 사자 협박에 항복했던 어리석음에 비견되었다. 상형문자를 쓰는 몽매한 중국과 발음문자를 쓰는 문명한 서양의 격차는 돌이킬 수 없는 것이라 단언되기도 하였다. 그러나 한국 언론의 중국관은 변모하기 시작했다. 《황성신문》의 주필 박은식(1859~1925)은 중국을 자강의 모델이자 연대의 대상으로 접근했다. 그는 망명 후 홍콩의 한 잡지에서 임경업 이야기를 발신했다. 그것은 무엇을 뜻하는 것이었을까?

〔번역〕

연래 중국 동삼성東三省 각지에 이주하는 한국 유민의 행렬이 끊이지 않는데 관전현寬甸縣·회인현懷仁縣·통화현通化縣에 특히 많다.[53] 농장에서 농사짓거나 황무지를 개간해서 먹고 살아간다. 내가 일찍이 지나가다 들른 적이 있었는데 한인이 사는 데라면 모두 봄가을 중달에 고 임경업 장군을 위해 제사 지낸다. 돌을 모아 제단을 만들고 희생은 돼지를 사

---

53 회인현(1914년 환인현桓仁縣으로 개명)은 고구려의 첫 도읍지이고 명나라 때에는 이만주李滿住의 만주족이 거주했다. 청나라 말기 오랜 봉금이 풀리면서 1877년 관전현, 회인현, 통화현이 설치되었다. 1902년 통화현에서 임강현臨江縣·집안현集安縣·유하현柳河縣이 떨어져나왔다. 압록강 건너 세칭 서간도라 불리는 이 지역에는 많은 한인이 이주했는데, 1914년 현재 서간도 11개 현의 한인 인구 135,963명 중에 집안현集安縣(3만), 안동현安東縣(2만), 통화현(2만), 환인현(1만 8천) 등의 순으로 한인 인구가 많았다. 이를 기반으로 경학사耕學社, 부민단扶民團, 신흥무관학교新興武官學校 등 서간도 독립운동의 구심점이 만들어졌다.

용하는 것이 대개 상례이다. 내가 그 연기緣起를 묻자 여러 사람들이 말했다.

"우리들은 농민이라 조국 위인의 역사는 아는 사람이 거의 없습니다. 다만 임 장군의 충의와 대절은 오래전부터 익히 들었습니다. 우리들이 여기에 온 뒤 왕왕 장군의 음덕으로 편안히 살고 있습니다. 그래서 제사 지냄에 감히 더러 게으름이 없습니다."

나는 탄식했다.

"신리神理는 아득하여 성인도 드물게 말씀하였는데[54] 내 어찌 감히 이를 알까? 전傳에 이르기를 신神이 이족異族의 제사는 흠향하지 않는다고 했다.[55] 지금 한국을 다른 종족이 차지하여 삼천리 산하가 하나도 정결한 땅이 없다. 이 때문에

---

54 《논어·공야장公冶長》에 '부자께서 성과 천도를 말씀하신 것은 듣지 못했다夫子之言性與天道, 不可得而聞也'라는 구절에 대해 주희의 집주集註는 '성과 천도는 부자께서 드물게 말씀하였는데 학자가 듣지 못했다至於性與天道, 則夫子罕言之, 而學者有不得聞者'라고 풀이하였다. 공자는 성性과 천도天道를 드물게 말했다는 뜻이다. 본문에서 성인이 신리神理를 드물게 말했다고 한 것은 대종교의 영향이다. 대종교의 기본 교리서에 《신리神理》가 있는데 이를 의식한 것이다.

55 《좌전左傳》에 '神不歆非類, 民不祀非族'라는 구절이 있다. '신은 동족이 아닌 자가 지내는 제사는 흠향하지 않고, 백성은 동족이 아닌 신에게 제사 지내지 않는다'는 뜻이다.

단기의 후손으로 조금이라도 금수를 부끄럽게 여기는 사람은 정든 고향을 그리며 역외로 옮겨가 산다. 귀신이 필시 이류異類의 제사를 흠향하지 않을 터이니 하물며 임 장군처럼 열렬한 분이겠는가! 그런데 귀신이 앎이 있어 그 백성을 따라 여기에서 흠향하니 어찌 기이하지 아니한가? 더구나 장군은 한국의 충신일 뿐만 아니라 천하의 의사이다. 중국의 명나라 말기에 태어나 명나라 황실을 붙들어 대의를 펼치는데 뜻을 두었다. 공유덕孔有德과 경중명耿仲明을 토벌해 본국을 배반한 죄를 성토하였다.[56] 청나라 군대가 한국에 침입해 남한산성을 포위하자 장군은 당시 의주에서 있으면서 마치 손빈孫臏이 위나라를 패주시킨 것처럼 정병 1만으로 심양을 곧장 치기를 청했으나 이루어지지 않았다.[57] 정축년 이후 승

---

56 공유덕이 경중명과 함께 산동성에서 반란을 일으키고 바다 건너 청나라에 항복하려고 하자 조선은 임경업에게 명나라 군사와 함께 협공하도록 명했다. 임경업은 압록강 하류 난자도蘭子島 북쪽 형제산兄弟山에 웅거하고 있다가 공유덕을 공격해 크게 무찔렀다.

57 병자호란 당시 임경업은 평안감사 유림柳琳에게 격문을 보내 청나라 소굴인 심양에 곧장 쳐들어가 한편으로 정묘호란 당시 포로로 끌려온 조선 사람들을 군대로 편성하고 다른 한편으로 명나라에 구원을 요청해 조명 연합군이 청나라와 맞싸울 것을 제안했으나 유림은 이를 듣지 않았다(성해응成海應, 《연경재전집硏經齋全集》 외집外集 권36 〈풍천잡지風泉雜志〉).

려 독보獨步를 보내 중국에 왕래해 사정을 통하게 하자[58] 청나라 사람이 한국을 협박해 장군을 잡아가게 하였다. 중도에 몸을 빼내 승려가 되어 무장한 가운데 바다를 건너 명나라 장군 황종예黃宗裔에게 투항하여 군무의 계획을 도왔다.[59] 갑신년 명나라 종사가 멸망하자 장군은 마홍주馬弘周의 함정에 빠져 연경으로 압송되었는데[60] 의리를 지키고 굴복하지 않자

58 신헐申歇이 묘향산에 들어가 불법을 배우고 승려가 되었는데 명나라 홍승주洪承疇에게 투탁해서 독보라고 이름을 고쳤다. 청나라 심양에 가서 첩보 활동을 했는데 국경에서 임경업에게 잡혔다. 조정에서 명나라에 보낼 사자를 물색하고 있었는데 임경업이 조정에 아뢰어 독보를 홍승주에게 보내 명나라 조정에 보낼 자문咨文을 전하게 했다(황경원黃景源, 《강한집江漢集》 권13 〈명총병관 조선국 정헌대부 평안도병마절도사 충민 임공 신도비명-병서明總兵官朝鮮國正憲大夫平安道兵馬節度使忠愍林公神道碑銘-幷序〉).

59 임경업은 등주에 망명하여 등주 도독 황종예의 군문에 투탁했다. 임경업은 임진왜란 때 조선을 도운 명나라의 은혜에 보답하고 병자호란 당시 조선이 청나라에 입은 치욕을 갚기 위해 명나라에 망명했음을 말했다. 황종예의 상주를 받고 명나라 황제는 임경업에게 평로장군平虜將軍을 주었다(강재항姜再恒, 《입재유고立齋遺稿》 권19 〈임경업전林慶業傳〉).

60 등주 도독 황종예는 이자성李自成의 농민군이 명나라 수도를 함락했다는 소식을 듣고 군사軍事를 마등馬登(일명 마홍주馬弘胄)에게 맡기고 야반도주했다. 명나라 장수 오삼계吳三桂의 인도를 받아 청나라 군사가 북경을 함락하자 남경에서 홍광제弘光帝가 즉위했다. 청나라 장수 고산高山(일명 팔구산八九山)이 산동성을 경략하자 마등은 임경업을 잡아 항복하려 했다. 임경업이 승려 독보와 상의해 남경으로 가려 했으나 독보가 마등에게 밀고해 임경업은 마등에게 체포되어 고산에게 끌려갔다(강재항姜再恒, 《입재유고立齋遺稿》 권19 〈임경업전林慶業傳〉).

청나라 사람이 의롭게 여기고 돌려보냈으나 조정에 돌아오자 역모를 저질렀다는 참소를 만나 원통하게 죽었다. 그 평생을 논하건대 중국이 아직도 만주족 청나라 세상이라면 그 신이 반드시 이 땅을 정결하게 여기지 않았겠지만 지금 중국이 광복한 것도 그 지원志願의 결과이니 이 또한 장군이 구원九原에서 춤출 일이 아니겠는가? 그런즉 중국의 오늘날이 이미 장군과 같은 지원을 가진 사람이 있었기에 가능했다면 한국도 어찌 하루라도 이런 날이 없겠는가?"

이를 묵묵히 기도하며 그 사적을 서술한다.

〔원문〕

年來韓之遺民, 移往東省各地者, 繼屬不絶, 而於寬甸懷仁通化諸縣尤多. 或租農庄, 或墾荒地, 求以資生而已. 余嘗過而訪焉, 凡韓人所居, 皆以春秋之中月, 祭故林將軍慶業, 聚石爲壇, 牲用豕, 率以爲常. 余問其緣起, 衆曰吾儕農民, 凡祖國偉

韓僑祭林將軍記 白毅

年來韓之遺民。移往東省各地者。繼屬不絕而於寬甸懷仁通化諸縣。尤多。或租農庄。或墾荒地。求以資生而已。余嘗過而訪焉。凡韓人所居。皆以春秋之中月。祭故林將軍慶業。聚石爲壇。牲用豕。率以爲常。余問其緣起。衆曰吾儕農民。凡祖國偉人之歷史。罕有知者。而但林將軍之忠毅大節。爲其習

人之歷史, 罕有知者, 而但林將軍之忠義大節, 爲其習聞久矣, 吾儕來此以後, 往往有將軍之陰相, 得安其生, 是以祀之, 罔敢或怠. 余喟然曰, 神理冥漠, 聖亦罕言, 吾何敢知? 故傳曰神不歆匪類. 今韓國被異族所佔, 三千里山河, 無一乾淨之土, 是以檀箕遺裔, 稍有以禽獸爲恥者, 多戀其幸梓, 寓居域外, 則其神必不歆於異類, 況如林將軍之烈烈者乎! 神而有知, 從其民而歆于玆, 豈曰異哉? 且將軍不特韓之忠臣, 亦天下之義士, 其生也丁中國之明末, 志扶明室以伸大義, 討孔有德耿仲明, 聲其叛國之罪, 淸兵入韓圍南漢, 而將軍時在義州, 請以精兵一萬直擣瀋陽, 如孫臏之走魏而不得焉. 丁丑以後, 遣僧獨步, 往來中國以通事情, 淸人脅韓執將軍而去, 中途脫身爲僧, 杖劍越海, 投明將黃宗裔, 贊畫軍務, 甲申明社屋, 而將軍被馬弘周所陷, 押至燕京, 守義不屈, 淸人義而歸之, 及其還朝, 遭逆讒而寃死. 以其平生論之, 使中國尙係滿淸之世, 則其神必不潔於此土, 而今中國之光復, 亦其志願之結果, 此亦非將軍之蹈舞九原者耶? 然則中國今日, 旣有如將軍之志願者, 而韓國亦豈無此一日耶? 竊爲之默禱而述其事云.

[출처]《향강잡지香江雜誌》 창간호

〈한교제임장군기韓僑祭林將軍記〉(백암白巖) 1913. 12.

〔해설〕

1911년 5월 박은식은 압록강을 건너 회인현에 망명했다. 망명객의 비탄은 《한국통사》에 이렇게 적혀 있다. '그때 혼하渾河의 가을은 저물어 쑥은 꺾어지고 풀은 마르고 원숭이는 슬퍼하고 부엉이는 울어댔다. …… 고국을 바라보니 구름과 연기가 서린 듯 아득하기만 하구나.' 그러나 그의 슬픔은 이내 기쁨으로 변해갔다. 현지 한인 사회에서 발견한 희망의 기쁨은 《몽배금태조夢拜金太祖》에 이렇게 적혀 있다. '파저강波猪江을 거슬러 항도천恒道川에 도착하니 산속에 들판이 열렸고 들판에 냇물이 있어 하나의 별천지이다. 연래 우리 동포가 이곳에 이주함이 점점 늘어나므로 동지 현인들이 이를 따라 살며 학교를 세우고 자제를 가르쳐 문명 풍조가 파급되고 있다.' 그는 동포의 앞길에 축하의 메시지를 던졌다.

회인현은 본래 고구려가 처음 나라를 세운 옛 서울이었다. 명나라 때에는 건주 여진의 지도자 이만주李滿住가 거주했다. 청나라 때에는 만주족의 발상지라 봉금 상태에 있었다. 북경조약으로 연해주를 러시아에 내주어 만주가 위협받게 되면서 봉금이 해제되어 비로소 개발이 시작되었다. 압록강 연강沿江 고을에 살던 조선 농민들도 대거 압록강을 건너 이주하기 시작했다. 대한제국 정부는 서간도에 관리사 서상무徐相懋를 파견해 회인현 및 인접한 통화현의 한인을 관할, 보호하고 호적을 조사하도록 했다. 규장각에 소장된 변계호적邊界戶籍(1902·1903)은 그 결과물로 보이는데 여기에 기재된 호주의 98퍼센트는 농업 종사자, 호주의 최상위 본관은 밀양 박씨였다.

서간도 이주 한인이 증가함에 따라 한인 지사가 건너와 학교를 세우고 교육사업을 펼쳤다. 일찍이 유인석(1842~1915)은 회인현에서 의병을 해산하고 통화현에서 유학을 강마했다. 국망 후 회인현에는 대종교에서 세운 동창학교가 있었고, 통화현 및 여기서 분립한 유하현柳河縣에는 서간도 독립운동의 주축인 경학사耕學社, 부민단扶民團, 신흥무관학교가 있었다. 박은식이 말한 '문명 풍조'는 이것을 가리킨다. 흥미롭게도 비슷한 시기 조선 말기 3대 시인의 하나인 이건창의 아우 이건승李建昇(1858~1924)도 회인현에 우거하고 있었다. 그는 어느 날 자기 집에 찾아온 박은식과 처음 만나 함께 회음會飮하고 '해내海內 신교神交'의 기쁨을 얻었다. 그는 박은식이 집필한 동창학교 교재 《동명성왕실기》를 읽고 제시題詩를 지었다. 서간도에 와서 좋은 문장을 읽고 합리적인 사론을 얻었음을 노래했다.

이건승의 제시는 1913년 12월 홍콩에서 김규흥이 발간한 한중 합작 잡지 《향강잡지》 창간호에 그대로 실렸다. 잡지 주필 박은식이 이건승의 마음 씀에 감사해 서간도 시절의 추억을 기념한 것이다. 창간호에는 또 다른 추억거리를 담은 글이 있었다. 그는 서간도 시절 한인 이주 농민들이 해마다 봄가을에 임경업을 위해 극진히 제사 지내는 관습을 유심히 보고 있었다. 조선의 임경업 장군은 병자호란의 수모를 씻고 청나라와 항전하기 위해 서해 바다를 건너 명나라에 망명한 천하의 의사義士가 아니던가. 그런데 조선도 아니고 중국에서 한인 동포들이 마을의 안녕을 위한 수호신으로 임경업에게 제사를 지내고 있다니 다소 당황스런 이 상황은 어떻게 보면 좋을까? 더욱이 역사 지식이 풍부하지 않은 농민들조차 임경업의 충절을 존경하고 있다니 그는 민중적 영웅이었는가?

임경업이 조선 사회에 언제부터 널리 회자되었는지는 명확하지 않다. 다만 1791년 교서관에서 간행한 한문본 《임충민공실기林忠愍公實記》와 1780년 경기감영에서 간행한 한글본 《임경업전》을 통해 정조 임금 때에 임경업에 관한 사회적 지식이 확장되었을 가능성을 상정할 수 있다. 박지원의 《열하일기》에는 조선의 길거리에서 《임장군전》을 소리 내어 읽어주는 풍속이 있었다는 기록이 있으니 이로부터 임경업 드라마에 대한 민간의 애정에 오랜 연원이 있음을 알겠다. 조선 후기 이래 황해도 앞바다 연평도를 필두로 서해안 일대에 임경업에 관련 설화와 풍어굿의 풍습이 퍼져나갔음을 고려할 때 서간도 농민의 임경업 신앙도 이해할 만하다.

하지만 서간도 한인 사회에 유입된 임경업 신앙을 바라보는 박은식의 시선은 특별한 데가 있었다. 신해혁명으로 청나라가 쓰러지고 중국이 광복을 맞이한 것은 조선의 임경업이 그토록 바라던 소원의 성취가 아닌가. 조선의 농민 사회에 임경업 신앙이 확산되고 마침내 임경업 신앙으로 무장한 농민들이 서간도에 건너왔다는 것은 중국의 광복을 바라는 임경업의 염원이 민중화되어 조선의 염원이 되었고 마침내 중국의 광복에 조선의 염원이 보탬이 되었음을 상징적으로 보이고자 하는 하늘의 뜻이 아닐까? 그렇다면 한국의 광복에 보탬이 되어줄 중국의 염원을 가진 중국의 임경업은 누구일까? 이런 의미에서 박은식에게 임경업은 한중 양국의 선린의 아이콘, 현재의 중국의 광복과 미래의 한국의 광복을 가

교하는 한중 연대의 핵심으로 기능하는 것이었다.

훗날 조소앙趙素昂은 중국에 한국의 역대 명문을 알리고자 《한국문원韓國文苑》을 엮었다. 오랜 '동문同文'의 우의에 기반한 '한중 합작'의 갈망이 전달되는 이 책의 서두에는 중국인 장계張繼의 휘호 '형제급난兄弟急難'과 한국인 최치원 및 송시열의 두 유상遺像이 있다. 최치원과 송시열의 공통점, 조소앙에게 그것은 한중 합작이었다. 박은식의 임경업과 마찬가지로 조소앙의 최치원과 조소앙의 송시열 역시 한중 연대의 상징이었던 것이다.

6. 고종독살설과 유림의 독립운동

2019년은 3·1운동 백주년이 되는 해였다. 촛불혁명 두 해 후에 맞이하는 백주년의 열기는 지금 돌아보아도 뜨거웠다. 촛불혁명으로 '하늘을 본' 사람들이 3·1운동으로 '하늘을 본' 사람들에게 감정을 이입해서였을까? 국사편찬위원회는 때맞추어 '삼일운동 데이터베이스'를 열었는데 여기에서 발견되는 격문은 3·1에 참여한 민중의 생동감을 전해주었다. 경기도 일산 장터에서 독립 만세 부르자는 어떤 격문은 만세 안 부르면 '화火 주의注意'하라고 경고했다. 3·1의 다양성! 독립선언서만 3·1은 아니었던 것이다. 3·1의 다양성 하면 빠질 수 없는 것이 조선 유림이다. 3월 5일 조선의 유림 대표는 청량리에서 순종에게 상소문을 올렸다. 그것은 무엇을 뜻하는 것이었을까?

〔번역〕

고종 황제는 을사늑약 후부터 항상 분통한 마음을 품었다. 정미년(1907) 6월, 세계 열국이 화란和蘭의 해아海牙에서 국제회의를 연다는 소식을 듣고는 한나라 헌제獻帝의 의대조衣帶詔 구례[61]를 모방해 신임장을 만들어 어보를 압인하고 이준李儁과 이상설李相卨 두 신하에게 몰래 주어 그 회의에 참석하게 했다. '왜로倭虜가 억지로 조약을 맺어 우리 이천만 민족이 억울하니 공의로 늑약을 폐기해 우리의 국권을 회복하기를 원한다'고 선포하고자 한 것이었다. 그러나 왜 공사가 자세히 염탐해 알아내고 백방으로 방해해서 두 사람이 회의에 참석하지 못하게 했고 다시 그 나라 정부에 전보電報하니 이토 히로부미가 즉시 적신 완용完用 등과 협의해서 황제를 핍박해 태자에게 황위를 전하게 했다. 세 해 지나 경술년(1910)

61 한나라 헌제가 장인 동승董承에게 밀조密詔를 내려 국정을 전횡하는 조조曹操를 주살하라 명했던 사건을 가리킨다.

에 마침내 융희제隆熙帝를 폐위하고 우리 강토를 병탄하니 고종 황제는 더욱 통한한 마음을 품고 두세 구신舊臣과 함께 몰래 복위를 도모했다. 이에 왜추倭酋가 다시 역적 완용, 덕영德榮 등과 함께 공모하여 역적 의사 상호商浩[62]를 불러 야수라 식혜 속에 독약을 타고는 적신 한상학韓相鶴[63]을 시켜 두 나인을 통해 바치게 했고, 고종이 승하하기에 이르자 역적은 즉시 두 사람을 타살해 입을 없앴다. 원통하다. 원통하다. 이때가 무오년 섣달이었다. 그때 일이 매우 비밀스러워 상세히 아는 자가 매우 드물기 때문에 대략 이렇게 기록해서

---

62 원문에 기록된 상청商淸은 상호商浩의 오기로 생각된다. 한국 최초의 개업의 안상호安商浩(1872~1927)를 가리킨다. 안상호는 일본 유학 후 서울에 진료소를 개업하고 대한제국 황실의 촉탁의로도 활동했다. 대정친목회大正親睦會에 참여했고 고종 승하 직전《매일신보》에서 일선동화의 모델로 소개되었다. 고종독살설에 연루되었다.

63 원문에는 한상붕韓相鵬이라고 기록되어 있다. 박은식이 지은《한국독립운동지혈사》에서는 '한상학韓相鶴'이라 했다(《한국독립운동지혈사》 하편 제4장 〈태황지희생어독립운동太皇之犧牲於獨立運動〉). 고종 서거 당시 서울에 있었던 전직 고위 관료 김가진이 상해 임시정부에 망명하자《독립신문》 기자는 김가진을 찾아가 고종 독살 정황을 전해들었다(《독립신문獨立新聞》 1919년 12월 25일, 〈의친왕향호義親王向滬의 동기動機〉). 이 자리에는 박은식도 동석하고 있었기 때문에《혈사》의 기록은 여기에 의거한 것으로 생각된다.

효섭孝燮[64]에게 글로 보인다. 너는 척념해서 깊이 감추었다가 후세 사람에게 알려 만세토록 반드시 원수를 갚도록 해라.

〔원문〕

高宗皇帝, 自乙巳勒約後, 常懷憤痛. 丁未六月聞世界列國開國際會於和蘭之海牙, 倣漢獻帝衣帶詔例, 爲信任狀, 押御寶, 密下于李儁李相卨二臣, 赴叅其會, 欲宣布倭虜之勒約及我二千萬民族之抑鬱, 願以公議廢棄其約復我國權, 而倭公使詗知其詳, 百方沮之, 使二人不得叅其會, 又以電報於渠國政府, 伊藤博文卽協謀於賊臣完用等, 逼帝傳位于太子. 越三年庚戌, 竟廢隆熙帝, 倂呑我疆土, 高宗帝益懷痛恨, 密與二三舊臣圖復位. 於是倭酋復與完用德榮諸賊同謀, 召醫師商淸賊, 和毒藥於夜水剌食醯中, 使

64 송주헌의 삼종질이다. 송주헌 사후 유문을 수집하여 문집을 간행했다.

賊臣韓相鵬因二內人進供, 至于昇遐, 賊卽打殺二人以滅其口, 痛矣痛矣. 此戊午臘月也. 其時事甚秘, 知其詳者絶少, 故略記如此, 書示孝燮, 爾其惕念深藏, 俾後之人亦得以知之, 爲萬世必報之地也焉.

[출처] 송주헌宋柱憲,《삼호재집三乎齋集》권3〈무기사변시효섭戊己事變示孝燮〉

〔번역〕

융희 13년 기미년 2월 2일 경향의 유림이 경성 도렴동 최만식崔萬植[65] 집에 모였다. 한편으로 독립 상소를 기초하고 한편으로 독립 기호旗號를 제작하고 소원疏員 13인 대표[66]를 선거했다. 4일 이른 아침 송형섭宋亨燮이 기호를 지참하고 미리 청량리 길가에서 기다렸고 소본疏本 송주헌宋柱憲이 먼저 그것을 두르고 저들 19사단 병사들 사이를 헤쳐 즉시 대가大

65 최익현의 문인이다. 1914년 독립의군부에 참여했다.

66 송주헌의《삼호재집三乎齋集》〈청극복대위소請亟復大位疏〉에는 송주헌·유준근柳濬根·백관형白觀亨·고석진高石鎭·조재학曺在學·고제만高濟萬·박원朴瑗·정재호鄭在浩·이채수李采脩·고예진高禮鎭·김지정金智貞·이원칠李源七·이춘행李春行 13인이 기입되어 있다. 그러나 실제 상소 원본에 기재된 서명자는 15인으로 송주헌이 밝힌 13인과 비교하면 이춘행 대신 고순진高舜鎭·김양수金陽洙·박은용朴殷容이 들어간 차이점이 있다.

駕[67] 앞에 들어가 엎드려 상소를 바쳤다. 조금 지나 왜놈 네 명이 송주헌을 붙잡아 남산 사령부에 협박해 데리고 갔다. 그 이튿날 최만식·유순룡柳淳龍 두 사람이 탐문하러 사령부에 갔다. 송주헌은 종로 고등법원을 거쳐 서대문 일본 감옥에 엄히 수감되었다. 그 후 유준근柳濬根[68]·백관형白觀亨[69]·어대선魚大善[70] 세 사람이 감옥에 들어왔고 그 밖에 열 사람은 지방에 산재했기 때문에 욕을 면할 수 있었다. 최전구崔銓九[71]·맹

---

67 1919년 3월 5일 반우제返虞祭를 마치고 청량리를 지나가는 순종의 어가를 가리킨다.

68 1860년 출생해 1920년 별세했다. 충청도 보령의 독립운동가이다. 유호근柳浩根의 문인으로 1906년 민종식閔宗植 의병에 참여했고 1914년 독립의군부獨立義軍府에 참여했다. 1919년 3월 5일 순종 복위 상소를 올렸다. 조선 민족 대표로 장서에 서명했다.

69 1861년 출생해 1929년 별세했다. 충청도 보령의 독립운동가이다. 유인석의 문인으로 1919년 3월 5일 순종 복위 상소를 올렸다. 3월 12일 조선 민족 대표로 장서에 서명했다.

70 1871년 출생해 1920년 별세했다. 경기도 용인의 독립운동가이다. 맹보순孟輔淳의 문인으로 1919년 3월 5일 유림 대표로 연설했다.

71 1850년 출생해 1938년 별세했다. 전라도 고창의 독립운동가이다. 최익현의 문인으로 1906년 최익현 의병에 참여했다. 1919년 4월 23일 '13도 대표十三道代表' 명의로 국민대회취지서國民大會趣旨書에 서명하여 한성 임시정부 수립을 촉구했다. 1919년 11월 '대한민족 대표大韓民族代表' 명의로 조선민족대동단朝鮮民族大同團 선언서에 서명했다. 《지은집智恩集》이 있다.

보순孟輔淳[72]·고학규高學圭·송양섭宋亮燮[73]은 감옥 밖에서 좌우로 주선했다. 동년 9월 송주헌 및 유준근·백관형이 감옥에서 나왔다. 마침내 동지와 함께 고사연구회古史研究會[74]를 설립하고 방금 《조선역사》를 간행하니 저들이 주목했다. 때문에 독립선언서를 갖고 정안립鄭安立[75]·송원태宋源台[76]·박하

---

72 1862년 출생해 1933년 별세했다. 경기도 용인의 독립운동가이다. 서정순徐正淳의 문인으로 명륜학교明倫學校를 설립했다. 《동전문집東田文集》이 있다.

73 1900년 출생해 1940년 별세했다. 송주헌의 셋째아들로 전우田愚의 문인이다. 1919년 송주헌의 독립운동을 능숙히 도와 칭찬을 들었다.

74 본명은 조선고사연구회朝鮮古史研究會이다. 1920년 1월 조선인 정안립鄭安立과 일본인 스에나가 미사오末永節를 중심으로 결성된 단체이다. 북으로 흥안령興安嶺, 서로 산해관山海關, 동으로 시베리아·연해주에 미치는 광활한 조선 고대 강역을 연구해서 완전한 조선사를 편찬하는 것을 목적으로 했다. 1월 17일 〈취지서〉에는 발기인으로 이상규李相珪·김흥곤金興坤·권낙종權洛鍾·송주헌宋柱憲·조재학曹在學·이명상李明翔·정갑수丁甲秀·정현식鄭鉉湜·송원태宋源台·김병흥金炳興·권도상權道相·장진우張鎭宇·오석룡吳錫龍·이상천李相天·전훈田壎·김병수金秉洙·이순규李洵珪·안한진安漢鎭·임직순任稷淳·신경우申卿雨·정진석鄭震錫의 이름이 명기되어 있다. 회장 이상규, 총무 김병수를 임원으로 만주에서 '대고려국大高麗國'을 세우고자 모금 활동을 하다가 동년 4월 해산되었다. 만주에 '대고려국'을 세운다는 구상은 유동열柳東說, 최동희崔東曦 등에게서도 발견할 수 있다.

75 1873년 출생해 1948년 별세했다. 충청도 진천의 독립운동가이다. 1919년 대한독립선언서大韓獨立宣言書에 서명했다. 1920년 조선고사연구회朝鮮古史研究會를 발기했다. 1945년 중경 임시정부 환국 준비위원회 위원장이 되었다.

76 1920년 조선고사연구회朝鮮古史研究會를 발기했다.

진朴河鎭[77] 등과 함께 일본에 함께 갔다. 이번 조선 독립운동은 천리와 인정으로 당당한 일임을 저들에게 선언하기 위해서였다. 이때 권중관權仲觀도 독립 선언의 일로 상해에서 이리 와서 서로 만났다. 경신년 2월 송주헌은 환국했다.

〔원문〕

隆熙十三年己未二月二日, 京鄕儒林會于京城都染洞崔萬植家, 一以起草獨立上疏, 一以製作獨立旗號, 選擧疏員十三人代表. 四日早朝宋亨燮奉持旗號, 預爲等待於淸涼里路上, 疏本宋柱憲先爲奉帶, 而披彼十九師團兵, 卽入大駕前, 伏呈上疏. 少頃倭酋四人拘執宋柱憲, 脅去南山司令部. 其翌日崔萬植·柳淳龍兩氏, 探問次往見司令部. 宋柱憲經由鐘路高等法院, 嚴囚於西大門日獄. 厥後柳濬根·白觀亨·魚大善三氏入獄, 其外十人散在地方, 故得免辱. 崔銓九·孟輔淳·高學圭·宋亮燮, 獄外左右周旋. 同年九月宋柱憲及柳濬根·白觀亨出獄, 遂與同志設古史硏究會, 方刊朝鮮歷史, 彼爲注目. 故持其獨立宣言

77 경상도 울산의 독립운동가이다. 대한광복회 총사령인 박상진朴尙鎭(1884~1921)의 아우이다.

書, 與鄭安立·宋源台·朴河鎭等同往日本, 卽以今番朝鮮獨立運動, 天理人情堂堂之事, 宣言於彼中. 時權仲觀亦以獨立宣言事自上海來此相會. 庚申二月宋柱憲還國.

[출처] 송주헌宋柱憲, 《삼호재집三乎齋集》 권3
〈조선유림독립운동사략朝鮮儒林獨立運動史略〉

〔해설〕

조선시대의 선비는 국왕에게 글을 올려 국정을 논했다. 현대의 선비도 대통령에게 글을 올려 국정을 논했다. 호남 고흥 선비이자 서울 낙산駱山 일민逸民 송주헌(1872~1950)이 이승만 대통령에게 보낸 글은 흥미롭다. '을유 해방' 후 몇 년을 끌던 '건국'이 겨우 이루어졌으나 국가가 몹시 불안정하니 '신정치'의 방안으로 임하林下의 선비를 불러 국정 자문과 후진 교육을 담당케 하자는 것이었다. 천하의 부강한 나라 미국의 학자 정위량丁韙良(W. A. P. Martin, 1827~1916)이 인의는 인성의 근본이고 인성은 방국의 근본이라 말한 사실을 들어 치국의 강론과 법제의 마련에 유자儒者가 필요함을 주장했다. 국회와 정부의 이원적 '출치出治'로 인한 만성적인 국정 불안에서 벗어나기 위해 출치의 단일화를 제안하기도 했다. 그는 스스로 유림 대표라 불렀다.

송주헌이 유림 대표를 자임한 연원은 3·1운동으로 거슬러올라간다. 조선의 유림은 3·1 독립 선언에 민족 대표 33인으로 참여하지는 않았지만 비슷한 시기 다양한 항일운동에 대표로 활동하고 있었다. 3월 5일 고종의 반우제를 마치고 청량리를 지나는 순종의 어가를 기다린 송주헌은 순종의 복위를 청하는 상소를 기습적으로 전했다. 유준근을 소수로 하는 유림 대표 15인이 이 상소에 서명했다. 같은 날 어대선도 군중 앞에서 유림 대표 명의의 연설을 시도했다. 이날 청량리 어가 앞은 상소 읽는 소리, 호곡하는 소리, 만세 외치는 소리로 천지가 진동했다. 3월 12일 유준근 등은 문일평이 작성한 '조선 민족 대표' 명의의 청원서를 군중에게 낭독했다. 4월 23일 최전구 등은 '13도 대표자' 명의로 국민대회 취지서에 서명했는데, 이것은 이른바 한성 임시정부 수립을 선언하는 내용이었다.

순종 복위 상소에 서명한 '유림 대표'는 대개 1906년 최익현 의병과 민종식 의병에 참여한 사람들이었다. 오늘날 역사교육에서 1900년대 유림의 의병운동과 1910년대 유림의 독립운동이 연결되어 설명되지 않는 맹점이 있지만 실상 1900

년대 의병운동의 불길은 1910년대에도 계속 이어지고 있었다. 최익현 의병을 실질적으로 조직했던 임병찬은 국망 후에도 고종의 밀칙을 받아 독립의군부의 호남 대장이 되었다. 서울 진공 작전을 펼친 허위 의병을 경제적으로 도운 허위의 문인 박상진도 국망 후에는 대한광복회를 조직해 총사령이 되었다. 대한제국기 의병운동의 목표는 청일전쟁과 러일전쟁 당시 일본 정부가 전쟁의 명분으로 선전했다가 을사늑약으로 박탈한 한국 독립을 되찾는 것이었다. 이 목표를 달성하고자 하는 끈질긴 노력이 1910년대에 이어진 것이다.

송주헌과 같은 '유림 대표'가 독립 회복으로 기대한 것은 왕정의 회복이었다. 순종 복위 상소는 '외국의 공의公議'와 '아민我民의 원기冤氣'에 의해 독립 선언이 천지에 진동했으니 속히 순종이 대위를 회복하여 일국을 호령해야 한다고 말했다. 순종의 복위는 '황천조종皇天祖宗이 돌아보고 백성만민이 추대'하는 역사적 상황에 대한 자주독립의 결단임을 분명히 했다. 참고로 후일 순종이 세상을 떠나자 '유림 대표'의 한 사람 최전구는 상소를 올려 종실의 현명한 자제 중에서 후사를 정해 왕통을 이을 것을 청하였다. 촉한蜀漢이 되든 남명南明이 되든 무엇이든 되어야 한다는 절박한 심정이었다.

한편 송주헌은 순종이 복위하여 독립에 성공할 경우 국가 경영의 큰 그림은 세워놓은 상태였다. '도이島夷'의 행정기관을 일절 폐지하고 '명인륜明人倫', '입기강立紀綱', '정풍속正風俗'에 의한 '도의국가道義國家'를 만들 것, 은행·통신·철도·항만·선박 등의 시설은 그대로 쓸 것, '덕화德化'를 먼저 하고 '신민新民'을 뒤에 할 것 등 7가지 조목이었다.

순종 복위 상소에는 을사, 경술, 무오의 사건이 난적에 의해 나왔음은 각국에서 모두 알고 있지만 이 문제를 목숨 걸고 명변하겠다는 구절이 있다. 이 구절은 의미심장하다. 을사년의 외교권 위탁이 한국의 뜻이 아님은 헤이그에서 밝혔다. 경술년의 국권 양여도 한국의 뜻이 아님은 블라디보스토크에서 밝혔다. 그러면 무오년 고종의 죽음은 독립을 되찾는 문제와 관련해 어떤 중차대한 의미가 있기에 이 문제의 시비를 '명변'해야 했던 것일까? 일본의 대한제국 강점이 원천적으로 무효라는 것은 을사년의 문제를 다투는 것으로도 충분한 일이었겠지만 더불어 무오년의 문제를 다투어야 했던 까닭은 한국이 일본의 지배를 환영하고 있다는 일본의 선전을 분쇄해야 했기 때문이다. 일본은 영친왕과 마사코의 결혼 날짜를 1919년 1월 25일로 정하고 다름 아닌 프랑스 파리에 신혼여행을 보내 강화회의를 열고 있는 세계 열강의 눈앞에서 한일 왕가의 돈독한 관계를 선전하고자 했다.

1월 21일 고종의 급사로 일본의 계획은 무산되었다. 생애 마지막 달 고종은 파리강화회의에서 미국 대통령 윌슨을 만날 한국의 밀사로 의친왕을 파견할 계획을 세웠고, 그전 달 이회영은 고종의 북경 망명 계획을 세워 민영달의 자금을 받아 아우 이시영에게 북경의 행궁을 수리하게 하였다. 고종의 계획은 일본 내각과 조선총독부에 탐지되어 있었고 내각 총리대신 데라우치가 조선총독 하세가와를 거쳐 윤덕영과 민병석을 시켜 고종에게 무언가를 제안했으나 고종은 수락하지 않았다. 곧이어 고종은 급사했고 고종이 식혜를 먹고 독살되었다는 소식이 삽시간에 퍼져나갔다. 고종의 조카딸이자 이회영의 며느리 조계진은 고종 사망 닷새 후 이 소식을 운현궁에서 들었다. 조선의 지하신문 《조선독립신문》 3월 2일자 기사는 이완용·윤덕영 등 일곱 역적이 파리강화회의에 조선이 합방을 자원했다는 내용의 문서를 보내고자 스스로 도장을 찍고 고종에게도 도장을 찍을 것을 강박했으나 고종은 이를 윤허하지 않아 그날 밤 독살되었다고 적었다.

일본은 고종의 사망 일시를 어찌해야 할지 오락가락 하다가 일단 21일 오전 6시 반 뇌일혈 사망으로 맞추고 독살설을 부정했다. 윤덕영과 민병석에게는 고종 사망의 책임을 묻는 모양을 만들기 위해 사직서를 받아내고 은사금도 반납하게 했다. 고종의 죽음을 애도하기 위한 경향 각지의 망곡을 마지못해 허락하기는 했다. 그러나 애도하는 조선인을 강박하는 순사의 불경스러운 태도, 애도하는 조선 학생을 저지하는 학교의 몰상식한 처사, 애도 기간에 버젓이 자행되는 유흥업소의 무례한 영업은 고종독살설과 결부되어 민심을 들끓게 했다. 한국이 합방을 스스로 원했다고 세계에 퍼뜨리려는 일본의 공작을 고종은 죽음으로써 거부했는데 역적의 무리들이 장단을 맞추고 있다는 소식 때문에 이미 흉흉해져 있는 민심이었다. 조선의 독립 의지를 세계에 알리고자 하는 시위 계획이 들끓는 민심 속에서 무르익어 갔다.

본래 D-day는 고종의 국장이 예정된 3월 3일이었다. 경향 곳곳에서 동시에 일어나되 서울의 경우 독립을 선언하고 시위를 하다가 일본이 잔학하게 탄압한다면 고종의 혼전魂殿이 있는 덕수궁 궁궐에 들어가 대한문에 태극기를 세우고 만세를 부르며 최후의 결사항쟁을 벌일 계획이었다. 고종을 애도하는 시간과 공간에 최적화된 형태의 투쟁이었다. 박은식이 지은 《한국독립운동지혈사》는 이러한 사실을 전하면서 〈태황이 독립운동을 위해 희생했다〉(하편 제4장 제목)라고 기록했다. 같은 책 〈독립본부의 시위운동〉(하편 제6장 제목)은 3월 1일의 독립 시위와 함께 3월 5일의 독립 시위를 특기했다. 고종의 죽음과 유림의 독립운동은 민족주의 역사가 박은식이 보기에 세계에 반드시 알려야 하는 3·1운동의 중요한 토픽이었던 것이다.

3·1운동도 100주년이 지났다. 고종의 죽음과 3·1운동은 당시 유림 대표에게 반드시 시비를 명변해야 할 중요한 문제였고, 한국의 독립 열망을 세계에 알리려는 민족주의 역사가에게는 반드시 한국의 혈사에 기록해야 할 중요한 문제였다. 그럼에도 오늘날 고종의 죽음을 독살이냐 아니냐는 가십거리로 치부하거나 또는 마치 3·1 서사에서 고종을 배제해야 진정한 민중사관에 도달하는 것처럼 보는 시각이 없지 않다. 박은식의 혈사血史조차 충분히 음미하지 않고 가볍게 역사를 논하는 것은 아닌가 싶어 안타깝다. 3·1은 다양했다.

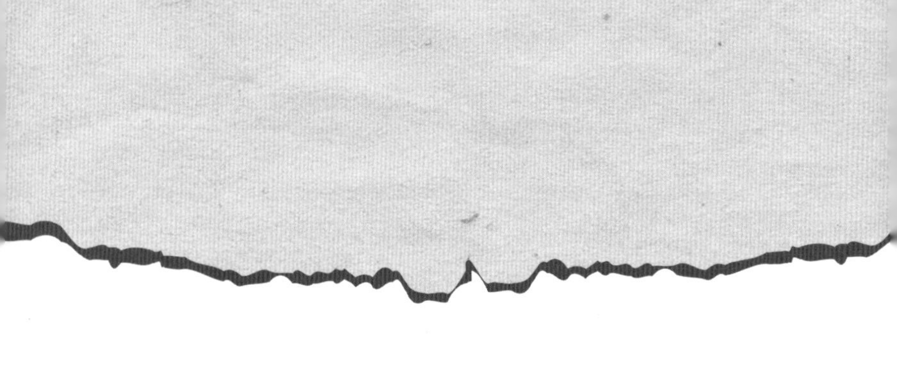

3부

학문

1. 세계사를 성찰한다

세계사를 어떻게 읽을까? 세계사를 지배하는 유럽 내러티브의 바깥에서 세계사를 성찰할 수 있을까? 마르크 페로의 《새로운 세계사》는 각국의 세계사 교육에서 세계사의 '산산조각'을 발견했다. 타밈 안사리의 《이슬람의 눈으로 본 세계사》는 이슬람 내러티브로 전달되는 '중간 세계'의 역사에서 세계사의 '문명 광역성'을 제기했다. 비자이 프라샤드의 《갈색의 세계사》는 제3세계 프로젝트 성쇠의 핵심 현장들을 연결하는 '네트워크' 세계사를 창조했다. 김기협의 《밖에서 본 한국사》는 민족과 국가의 이중 정체성을 지닌 중국의 조선족 동포를 위해 한국사와 중국사의 세계사적 결합을 추구했다.

유럽 내러티브의 세계사를 상대화하는 시도들이다. 이 땅에서 그러한 세계사 성찰의 기원을 찾을 수 있을까?

〔번역〕

한가히 지내다 무료하여 우연히 이른바 《태서신사泰西新史》라는 것을 열람했는데 총명함이 이미 쇠해서 새로 알아도 금세 잊어버린다. 그러나 각국의 정치와 국운의 연혁에 대해서는 대략 그 대강을 알 수 있었다. 태초에는 각기 강역을 지키고 각기 임금과 백성이 있어서 나라라고 부르는 것이 얼마나 있었는지는 모르겠지만 각기 몽매하고 몽매해서 오직 자기 힘으로 먹고살 줄만 알지 남에게서 빼앗으려는 마음을 품은 적이 없었다. 급기야 혼돈에서 열리자 지교智巧가 날로 밝아져 이용후생의 술법과 관계된 것들이 차례로 발전했는데, 특히 이른바 기학氣學이니 화학化學이니 하는 것은 전고에 없던 것들이었다. 이 때문에 기계가 날래니 일하기 쉬워지고 탈것이 빨라지니 교통이 편해져서 재부를 순치해 와 백성이 풍족하고 화락하여 태평을 누렸다. 그러나 지교가 이미 밝아지자 정욕도 뒤따라서 권세와 지위를 오랫동안 탐하니 임금과 백성이 승부를 각축했고 땅을 다투고 나라를 멸하니 좋은 이웃이 원수로 변했다. 마침내 지난날의 이용후생의 기술이 성시城市와 인민을 도륙하는 기계로 변하고, 강력하고 혹독한 폭탄이 거듭된 연구로 갈수록 신기해지며 날마다 먼지가 자욱한 전장은 원혼의 피바다가 되었다. 강국이 약국을 삼키고 대국이 소국을 아우르는데 강국과 대국이라 이르는 것도 위는 아래를 근심해 초개같이 참살하면 아래는 위를 거역해 원수처럼 시해하니 지난날 태평을 누렸다는 것도 거의 다 사라져서 흥망의 속도가 마치 바둑이 뒤집히는 것처럼 빨랐다. 그 까닭을 생각해보면 지교만 높이고 인의를 모르기 때문이고, 권력만 믿고 윤리가 없기 때문이다. 인의를 모르고 윤리가 없이 오로지 지력으로 천려일득千慮一得의 요행으로 삼는다면 지력이 나보다 뛰어난 자가 반드시 나를 뒤따라와 곧 천려일실千慮一失의 불행이 있을 텐데, 그러면 내일의 불행이 오늘의 요행에 이미 뿌리 내린 셈이라 무어 그리 대단한 것이겠는가? 내 생각에 이 책의 엮은이는 우리 조선이 지혜가 밝지 못해 남에게 제어 받음을 개탄하고는 서국西國의 정치와 기예의 장점을 극찬하여 우리나라 사람이 이를 깨닫고 분발하게 하였으니 그 의도는 본디 좋다. 그러나 치세가 적고 난세가 많은 까닭이 전적으로 인의와 윤리를 가르치지 않았기 때문임을 한 번도 논하지를 않았으니 아무래도 정교의 근원에 밝다고는 이르지 못하겠다. 내 생각에 이용후생은 서양을 배우고 교화는 동화東華를 주로 한 뒤에야 부강을 꾀할 수 있고 영속을 말할 수 있겠다. 이 책의 독자는 내 말을 우활하다 하지 말고 취사선택하면 다행이겠다. 장채산인藏蔡山人은 쓴다.

〔원문〕

閒居無聊, 偶閱所謂泰西新史者, 顧聰明已衰, 隨得隨失, 然其於各國政治國祚沿革, 略可以見其大槩矣. 蓋其太始也, 各守疆域, 各有君民, 呼稱國者, 不知爲幾何, 而亦各蒙蒙昧昧, 惟知食力爲生, 而未嘗以攘奪爲心, 及其混沌開, 而智巧日明, 凡係利用厚生之術, 次第發展, 而所謂氣學化學, 尤是前古所未有也. 是以器械捷利而事功易, 舟車迅速而交通便, 馴致財阜, 民殷熙熙, 享太平矣. 然而智巧旣明, 情欲亦隨, 而長貪權覬位, 君民角其勝負, 爭地滅國, 隣好變爲讐敵, 乃以向之利用厚生之技術, 變而爲屠城戮人之器械, 强砲毒彈, 愈研愈奇, 戰塵日起, 寃血成海, 以之强呑弱大倂少, 而其所謂强大者, 亦上虞其下, 斬殺如草芥, 下逆其上, 簒弑如仇讐, 向所謂享太平者無

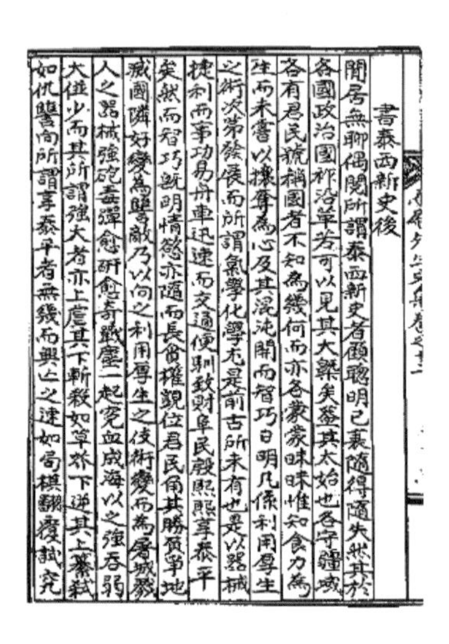

書泰西新史後

閒居無聊偶閱所謂泰西新史者頗聰明已衰隨得隨失然其於各國政治國祚沿革若可以見其大槩矣蓋其太始也各守疆域各有君民號稱國者不知為幾何而亦各蒙蒙昧昧惟知食力為生而未嘗以攘奪為心及其混沌開而智巧日明凡係利用厚生之術次第發展而所謂氣學化學尤是前古所未有也是以器械捷利而事功易舟車迅速而交通便馴致財阜民殷熙熙享泰平矣然而智巧既明情慾亦隨而長爭權覬位君民角其勝負爭地滅國隣好變為讐敵乃以向之利用厚生之技術變而為屠城殺人之器械強砲毒彈愈研愈奇戰塵一起寃血成海以之強吞弱大倂少而其所謂強大者亦上虐其下斬殺如草芥下逆其上簒弑如仇讐向所謂享泰平者無幾而興亡之速如局棋翻覆試究

幾, 而興亡之速如局棋翻覆, 試究其所以然, 則所尙者智巧而所昧者仁義也, 所恃者權力而所蔑者倫紀也, 昧仁義蔑倫紀而全以智力爲一得之倖, 則智力之勝於吾者, 必將踵吾後而至, 旋有一失之不倖, 然則明日之不倖, 已根於今日之倖, 何足多哉? 余意編是書者, 慨我鮮之智不明而見制於人, 盛稱西國政治藝能之美, 而俾我人有所感悟而振發也. 其意固善矣. 然一未嘗論治少亂多之故, 全由於仁義倫紀之無敎, 恐亦未可謂明於政敎之源者也. 愚以謂利用則學西洋, 而敎化則主東華, 然後富强可謀而長遠可道, 覽是書者不以吾言爲迂而有所取舍焉則倖也. 藏蔡山人書.

[출처] 권상규權相奎, 《인암집忍庵集》 권12 〈서태서신사후書泰西新史後〉

〔해설〕

1898년 대한제국 학부는 논술 시험 11문제를 만들어 평안남도 공립 소학교에 훈령을 발송했다. 학생들이 《태서신사남요泰西新史攬要》를 읽고 작성한 논술 답안을 학교별로 3개월 이내에 학부로 보내라는 것이었다. 시험 문제 몇 가지를 소개해본다. 첫 번째 문제. '법국法國이 무슨 까닭에 대란大亂이며 나파륜 제1세는 어떠한 영웅인가?' 두 번째 문제. '영국은 어떻게 해서 흥성하여 세계 일등국이 되었으며 정치의 잘잘못이 우리나라에 비하면 어떠한가?' 이 문제에는 '숨기지 말고 사실대로 직서함이 가함'이라는 주의 사항이 적혀 있다. 일곱 번째 문제. '아국俄國이 정치와 땅을 개척함과 얻은 속지의 국민을 어떻게 대우하며 그 나라와 깊이 사귐이 어떠한가?' 이 문제는 《태서신사남요》가 부족하다고 판단한 듯 《아국약사俄國略史》를 숙독하라는 주의 사항이 적혀 있다. 열 번째 문제. '신정新政이 일어난 후 세계가 전에 비하면 어떠한가?' 마지막 열한 번째 문제. '우리 대한은 어떤 정치를 써야 세계 일등국이 되며 또 구습을 고치지 않으면 어떠한 지경에 이를까?' 이 문제에는 '소소명백히 저론著論함이 가함'이라는 주의 사항이 적혀 있다.

문제를 출제한 학부의 마음은 간절했다. 서양과 경쟁하는 부강한 나라가 되려면 실사구시의 자세로 세계 현대사를 알아야 한다. 이 점에서 위의 11개 문제 중 핵심은 열 번째 문제 '신정이 일어난 후 세계가 전에 비하면 어떠한가?'이다. 다행히 《태서신사남요》 제23권 〈구주안민歐洲安民〉에 모범답안이 있다. 이에 따르면 서양의 인민은 전제정치 하에서 제왕의 '노복'에 불과했으나 프랑스대혁명 이후 '민주'의 마음이 발생해서 빈 회의의 구체제 복귀에 맞서 '자주'를 요구하였다. 1820년 남미의 독립, 1830년 프랑스 7월혁명, 1848년 프랑스 2월혁명을 거치면서 서양 각국은 이를 수용해 '신정'을 실시하고 학교를 설립하여 마침내 '안민安民'에 성공하였다. 《태서신사남요》 제24권 〈부기附記〉에는 '구주신정歐洲新政'의 이름으로 서양 각국의 상하 의원이 예시되어 있어서 '신정'의 함의를 알 수 있다. 이제 학부에서 출제한 세계사 문제는 의도가 명확해졌다. 태서의 '신정'과 한국의 '구습'

이 대비되는 지점, 그것은 입헌대의정치였다. 《황성신문》 1898년 11월 5일자 제1면에는 관민공동회 헌의 6조에 따른 중추원 관제 개정건이, 제2면에는 《태서신사남요》에 기초한 세계사 문제를 소개하는 학부의 훈령이 동시에 실렸다. 우연의 일치였을까?

《태서신사남요》는 역사서의 형식을 지키면서도 정론서의 역할을 수행한 책이었다. 청일전쟁이 종결된 그해 출판된 이 책은 중국이 청일전쟁의 아픔을 딛고 어떻게 재기할 수 있는지 역사의 거울을 제공하였다. 시모노세키조약이 체결된 다음 달 티모시 리처드Timothy Richard(1845~1919)가 지은 이 책의 번역자 서문은 19세기 서양의 세입이 중국의 28배에 달한다는 사실, 19세기 서양의 민부民富가 과거보다 5배나 증가했다는 사실을 제시하며 서양 신법의 조속한 수용을 주장했다. 중국 광서제가 칙지를 내려 중국 과거 시험 문제에 반드시 서양사를 출제하게 하고 또 이 책을 읽혀 기초를 다진 40세 이하 중국인을 서양에 유학 보내 신법을 학습하게 하라고 제안했다. 이 책은 전체 24권 중 독일, 오스트리아, 이탈리아, 러시아, 터키, 미국, 교황은 각각 1권씩 할애되어 있으나 영국에만 10권이 투입되어 있으니 겉으로는 태서신사이나

속으로는 영국신사英國新史이다. 이와 같은 극심한 불균형이 과연 19세기 서양사에 대한 온전한 이해에 도움이 되었을까? 중국이 영국의 길을 가야 한다는 역사 선전 이상의 의미를 담고 있었을까?

이 책의 제목으로 취한 '신사'는 다분히 이념적이다. 현실을 이해하는 역사 지식을 낡은 역사와 새로운 역사로 차별하는 신구 대립의 계몽주의 어법을 반영하고 있기 때문이다. 《황성신문》 1899년 7월 29일자 논설은 정확히 이 지점, 곧 역사와 현실의 관계에서 비춰진 역사 지식의 유효성을 논한다. 이를테면 광산 개발 때문에 명나라 말기 국망에 치달았다는 '구사'와 광산 개발이 서양의 부강에 일조한다는 '신사'를 비교한다면 '구사'와 '신사' 중에서 어느 역사 지식이 현실에 유효한가? 논설은 《태서신사남요》를 자와 저울로 삼아 이제까지의 '유문고사遺聞古事'가 합당한지 장단과 경중을 재자고 결론지었다. 그러나 역사는 역사일 뿐 거기에 '구사'와 '신사'의 차별이 무엇이며 또 《태서신사남요》로 하여금 역사의 표준을 장악하게 한다는 발상은 무엇인가? 근대 영남 유학자 권상규權相圭(1874~1961)는 이 책을 읽고 서양 현대사에서 인간과 국가의 야만적인 무한 상쟁과 그것이 결과

할 종국적인 문명 파멸을 느꼈다. '지교만 높이고 인의를 모르는, 권력만 믿고 윤리가 없는' 세상에서 인간이 살아갈 참다운 문명의 표준을 발견할 수 있을까? 권상규의 서양사 비평은 한국 근대 유학의 성찰적인 세계사 인식과 맞닿아 있다. 이로부터 이 땅에서 피어난 세계사 성찰의 전통을 말할 수 있을까?

2. 신학을 넓혀 구학을 돕는다

20세기 한국 사회는 유교 담론의 전성기였다. 유교 담론이 역사상 이 시기보다 왕성하게 피어난 적이 있었을까? 박은식은 유교의 '구신求新'을 말했고 이병헌은 유교의 '복원復原'을 말했다. 임한주는 유교의 '발흥勃興'을 말했고 송기식宋基植은 유교의 '유신維新'을 말했다. 유교 담론의 배경은 시대의 변화이다. 서서히 유교의 바깥으로 나가면서 비로소 유교가 자각되기 시작했다. 바깥에서 보는 유교의 유력한 발원지는 재중 서양 선교사의 근대 중문 매체이다. 특히 《만국공보》(1868~1883 주간지, 1889~1907 월간지)는 한국의 한문 독자층에게 상당한 영향을 끼쳤다. 1906년 박은식은 《대한매일신보》에 길버트 리드의 글을 실었다. '신학을 넓혀 구학을 돕는다.' 이를 읽은 이병헌(1870~1940)은 천하의 선비와 만났다는 기쁨을 감추지 못하고 독후감을 지었다. 그는 무엇을 말하고 싶었을까?

〔번역〕

나는 《만국공보萬國公報》에서 미국 진사 이가백李佳白(Gilbert Reid, 1857~1927)이 지은 〈열국정치이동고列國政治異同攷〉[79]를 보았는데, 넓게 경험하고 정성껏 고찰해 신학과 구학의 법도를 조화시켰음에 감탄했고 마음 씀이 공평하고 조예가 정밀함에 감복했다. 마침 《대한매일신보》 지면에서 다시 〈광신학이보국학설廣新學以輔舊學說〉[80] 한 편 번역된 것을 읽었는데

---

79 길버트 리드의 작품으로 《만국공보》 제169책부터 제189책까지 21개월의 장기간 연재되었다. 이것은 본디 청말 신축신정辛丑新政을 배경으로 그가 상해에서 개최한 강좌의 강연이었다. 수많은 청중이 이 강연에 참석했고 《신보申報》에서 '미유강학美儒講學', '서유연설西儒演說' 등의 제목으로 자주 보도할 정도로 사회적인 이목을 끌었다.

80 1906년 2월 10일부터 동년 3월 13일까지 《대한매일신보》에 7회 연재된 작품이다. 본디 길버트 리드의 작품으로 원명은 '중국의광신학이보구학설中國宜廣新學以輔舊學說'이고 《만국공보》 제102책(1897)에 게재되었다. 《대한매일신보》 연재물은 이를 국한문으로 번역한 것이다.

그런 뒤에야 비로소 선생이 홀로 광대한 역량과 정미한 깨달음을 갖추어 진화進化의 세급世級을 면려하고 대동大同의 공무公務를 제창하여 세계 모든 사람들이 번창할 수 있도록 하였음을 분명히 알았다. 번역자는 특별히 이 글을 표창하여 동포에게 널리 고했으니, 우리 한국의 사림士林에게 바라는 것이 극진했다.[81] 나는 참망함을 헤아리지 않고 이에 마음에서 느낀 점 네 가지를 열거해 세상의 공평한 안목이 있는 사람들이 채택하기를 바란다. ……

하나. 유교의 문제점은 그 내력이 오래되었다. 비유하면 아름다운 금옥金玉이 진흙과 모래에 섞여 있는데 서양인이 한갓 모래와 돌을 보고 금옥을 심히 무욕할 뿐만 아니라 중국의 유자儒者도 필생 유교에 힘써 종사하나 한 사람도 끝내 그 진체眞諦를 엿보지 못한다. 이 때문에 '수구守舊' 하는 사람은 외국을 물리치고 이단을 배척하는 허습에 연연해하여 진흙, 모래, 와석瓦石을 숭상하기만 하고, '유신維新' 하는 사

81 번역자는 《대한매일신보》 주필 박은식으로 추정되는데 그는 연재를 시작하면서 길버트 리드의 이 작품이 구학과 신학의 원류를 해박하게 논했기에 이를 역술해 '대한 사림大韓 士林'에게 열람을 제공한다고 밝혔다(《대한매일신보》 1906년 2월 10일, 잡보 〈광신학이보구학설廣新學以輔舊學說〉).

람은 부처를 꾸짖고 조사를 매도하는 망상을 일으켜 아름다운 금옥을 멸시하기만 한다. 학문이 고금에 통달하고 시국에 절실히 감개하기로는 채이강蔡爾康(1851~1921)처럼 현철한 분도 없는데 그가 다시 재앙의 근원을 차례로 연구해 중국의 병근의 소재를 논한 데에 이르러서는 송나라 유학자의 해악에 중독되었다고만 말했을 뿐이니 양이攘夷와 복수復讎가 지금은 이를 데가 없지만 송나라 시대에는 그러하지 않을 수 없었음을 전혀 모르는 것이다.[82] 그러나 그것이 세상의 선비에게는 침폄鍼砭이 되니 약석藥石이라 해도 가하겠고 재앙의 원류를 추구하면 여기에서 문제를 얻게 된다.

대개 중국의 인문은 복희伏羲·헌원軒轅에서 시작하여 요순堯舜에서 왕성했고 삼대에서 구비되었다. 진나라가 백성을

---

82 이병헌이 말하는 채이강蔡爾康의 작품은 〈송유이화중국론宋儒貽禍中國論〉을 가리키는 것으로 생각된다. 채이강의 이 글은 알렌이 지은《중동전기본말中東戰紀本末》에 실려 한국 사회에 널리 알려졌고 유림 사회에서 거센 비판이 제기되었다. 전우는 송나라 유학자가 공맹 유학의 고훈을 부회하여 공맹 유학이 제대로 드러나지 못했고 지금의 풍속이 송나라 유학자의 해악에 중독되었다는 이 글의 입론을 비판하였다. 또, '복수'라는 말은 공자가 쓰지 않았고 송나라 유학자에게서 나오는 것으로 공맹 유학과 무관하다는 이 글의 입론에 대해서도 비판하였다.(전우,《간재집 전편》권12〈분언忿言〉)

어리석게 만드니 군자가 대도를 듣지 못했고, 한나라가 백가를 축출하니 소인이 곡예를 익히지 못했다. 이로부터 허위와 부탄浮誕의 술법이 사이에 끼고 틈을 파고들어 세대가 내려올수록 풍속이 부박해졌다. 현철한 송나라 군자들이 힘껏 진리를 구해 앞선 성현의 계천입극繼天立極[83]의 종지를 체득했으나 역량이 공맹에 미치지 못하고 보무步武가 구역을 넘지 못해 중국 유학의 재앙을 구원하여 만세의 터전으로 만들지 못했다. 공은 미주美洲 문명의 나라에서 태어나 앞선 성현의 서로 전한 학문을 고찰해, 이것이 진흙, 모래, 와석과 섞여서는 아니됨을 능히 알고 아름다운 금옥으로 쓸 만한 것을 홀로 골라내 차례로 표장하니 말이 꼭 들어맞았다. 그 밝음에 미칠 수 없고 그 앎을 헤아릴 수 없으니 공과 같은 사람은 중용中庸을 택했다고 이를 만하겠다!

---

83 주희가 지은 〈중용장구서中庸章句序〉에 '상고부터 성인이 하늘의 뜻을 이어받아 법칙을 세워 도통의 전함에 유래가 있다自上古聖神繼天立極, 而道統之傳, 有自來矣'는 구절이 있다.

〔원문〕

僕於萬國公報中, 得見大美國進士李佳白氏列國政治異同攷, 而歎其經歷之廣, 攷勘之精, 調和新舊學界之法, 而服其用意之公, 造理之密矣. 迺者於大韓報紙上, 又得所譯廣新學以輔舊學說一篇而讀之, 夫然後始知先生獨具廣大之量精微之得, 而可以勵進化之世級, 倡大同之公務, 爲五洲圓顱方趾者之倡審矣. 譯者之特加表章, 輪告同胞, 其望我韓土之士林者摯矣. 僕不揆僭妄, 玆列其感發於中者四端, 以望世之公眼者採擇焉. ……

一. 斯道之受病, 其來遠矣. 譬如良金美玉, 混於泥沙, 雜於瓦石, 不惟西人之徒見沙石而厚誣 金玉, 乃華儒之畢生用力從事於斯道斯教者, 終未有一人能覈其眞諦者. 是以守舊者甘戀攘外闢異之虛習, 而惟泥沙瓦石之是崇是奬, 維新者徑起訶佛罵祖之妄想, 而惟良金美玉之是汙是蔑, 其所以學通今古慨切時局者, 無如蔡子爾康氏之賢焉, 而又能歷究禍源, 至所以論中國病根之所在, 則不過曰中宋儒之蠱毒耳, 殊不知攘夷復讎在今則無謂而在宋則不得不爾也. 然其針砭世之士夫, 則可當藥石矣, 推究禍之源流, 則爰得問題矣. 盖中土人文, 昉於羲軒, 盛於唐虞, 備於三代, 秦愚黔首而君子不得聞大道, 漢黜百家而小人不得習曲藝. 自玆以還, 虛僞浮誕之術, 投間抵隙, 世愈降而俗愈薄, 雖以趙宋諸君子之賢, 力求眞理, 克體先聖賢繼天立極之旨, 而力量未逮於洙泗, 步武不越乎區宇, 將無以救中儒之禍, 而爲萬世地矣. 公生於美洲文明之邦, 考夫先聖賢相傳之學, 能知泥沙瓦石之不可混, 而獨採良金美玉之爲可用, 歷敍表章, 語合稱停, 其明不可及而其知不可測也已, 如公者可謂擇乎中庸者歟!

[출전] 이병헌李炳憲, 《이병헌전집李炳憲全集》,

〈제미국진사이가백씨신구학설후[題美國進士李佳伯氏新舊學說後]〉

〔해설〕

기독교 신약성서 요한복음에는 "너희가 진리를 알지니 진리가 너희를 자유케 하리라"는 유명한 구절이 있다. 이 구절이 중국에서 발행된 한문 월간지 《만국공보》(1903. 12.)의 〈석자유釋自由〉라는 글에는 '이필식진리爾必識眞理, 진리필석방이

眞理必釋放爾'라고 씌어 있다. '자유' 대신 쓰인 '석방'이란 말이 이채롭다. 이 글은 인간이 자유를 얻어야 세계가 진보하고 진정한 자유는 기독교 성서의 가르침에 있다고 설명한다. 사이에 미국 뉴욕의 자유의 여신상 그림이 끼워져 있다. 그림의 메시지는 명확하다. 자유는 미국에 있다!

석 달 전의 《만국공보》(1903. 9.)에서는 마르틴 루터를 만날 수 있다. 〈루터가 보름스 제국의회에서 진리를 굳게 지킨 일을 대략 기록함〉이라는 기사가 있다. 지은이는 《만국공보》 주필 알렌. 그는 서양 근대문명이 종교개혁에서 시작한다고 생각하고 〈루터가 종교를 개혁한 일을 대략 기록함[路得改敎紀略]〉을 지었는데 다시 인도에서 발간되는 영자 신문에서 관련 기사를 발견하고 이를 한문으로 번역해 편집한 것이다. 중간에 루터가 보름스 제국의회에 출석한 장면이 삽화로 들어가 있다. 서양사에서 종교개혁의 극적인 장면이 이 한 장으로 재현된다.

《만국공보》에 기독교 성서와 기독교 역사 이야기만 있었던 것은 아니다. 헐버트 스펜서와 더불어 영국 사회진화론의 유명한 이론가 벤저민 키드의 책 《사회진화론*Social Evolution*》(1894)이 출판되자 이 책은 '대동학大同學'이라는 새로운 제목을 얻어 《만국공보》에 연재되었다. 《만국공보》 1899년 4월호 기사는 대동학 제3장 '상쟁상진지리相爭相進之理'인데, '피차의 상쟁相爭'이 있어야 '고금의 상진相進'이 있다는, 경쟁을 통한 역사의 진보론이다. 같은 호에는 〈섬라중흥기暹羅中興記〉라는 기사가 있다. 타이 국왕이 내정 개혁에 영국인을 등용해 국가 중흥에 희망이 있으니 중국이 속히 타이를 본받아야 한다는 내용이다. 여기에 첨부된 《타임스*Times*》 기사는 일본·이집트·한국·타이의 정치 개혁을 비교한 글인데, 이 기사는 네 나라 중에서 한국은 사사건건 구법을 붙들고 있는 열악한 나라라고 지적하고 있다.

《만국공보》 기사는 한국 사회의 비상한 관심을 끌었고 종종 한국 언론에 전재되었다. 키드의 진보론과 타이 중흥론은 《만국공보》에 게재된 그해에 곧바로 《독립신문》에 소개되었는데 이 신문의 논설 〈진보론〉과 〈중흥론〉은 각각의 한글 번역이었다. 《만국공보》는 한국의 유림 사회에도 상당한 영향을 끼쳤다. 한국 최초로 고대 그리스 철학을 비평한 것으로 유명한 영남 유학자 이인재李寅梓는 〈구경연의九經衍義〉라는 글에서 대한제국의 분발자강의 모델로 앞서 말한 타이의 중흥을 거론했다. 역시 영남 유학자 이병헌은 《만국공보》에서 미국 선교사 길버트 리드의 글 〈열국정치이동고列國政治異同攷〉를 읽고 신학과 구학에 대한 공정한 태도에 감탄했다. 마침 박은식이 주필로 있던 《대한매일신보》는 1906년 한국 사회의 흥학興學을 위해 《만국공보》에 실린 길버트 리드의 다른 글 〈중국의광신학이보구학설中國宜廣新學以輔舊學說〉을 연재하였다.

신학을 넓혀 구학을 돕는다. 길버트 리드의 이 글은 요지가 간명했다. 중국은 진시황과 한무제 때문에 고래의 '실학'이 사라졌는데 태서는 중국에서 실종된 '실학', 곧 격치기예학格致技藝學이 발전했으니 이를 만국 공통의 보편 학문으로 수용하자는 것. 서학이 곧 '실학'이라는 것이다. 이 글을 읽은 이병헌은 이렇게 말했다. "1906년을 살아가는 한국인으로서 나는 살아서 자유를 누릴 수 없고 죽어도 돌아갈 곳이 없구나. 지금의 시의時宜는 서방의 실업이다. 동지의 선비와 더불어 천하의 책을 널리 고찰해 진정한 이치를 강구하던 차에 《대한매일신보》 기자 덕분에 천하 선비의 지론을 보게 되었다. 동포 군자들에게 나의 충정을 알리고 싶다. 신학과 구학은 모순 관계가 아니다. 이 글 지은이는 대중 강연에서 공자의 말을 인용해 '온고이지신溫故而知新이면 스승이 될 수 있다'고 했다. 신학과 구학을 하나로 합하고자 하는 사람들은 이 뜻을 명심해야 한다."

신학을 넓혀 구학을 돕는다. 신학과 구학을 합일한다. 1900년대 한국 지성계의 화두는 단연 신학과 구학이었다. 길버트 리드의 《만국공보》, 박은식의 《대한매일신보》는 이 시기 신학 담론의 주요한 매체였다. 다만 길버트 리드가 박은식과 이병헌에게 친근감이 들었던 이유를 깊이 생각할 필요가 있다. 그는 신학을 주장했지만 구학을 존중했다. "기독교 성서의 상제는 사서오경의 상제와 같다." 이런 생각으로 그는 산동성에서 선교할 적에 공자의 묘를 참배하고 공자의 위대함을 높이 평가했다. 《만국공법》의 번역으로 유명한 미국 선교사 마틴도 비슷한 생각으로 공자에 예수를 더한다는 이론을 제기했다. 영국 선교사 윌리엄슨은 유학의 오륜五倫에 상제上帝와 원인遠人을 더해 칠륜七倫을 창안했다. 세기 말 세기 초 한국 사회는 《만국공보》에서 실험되는 온갖 새로운 학설이 직수입되어 일어나는 지적인 들끓음의 시기였다. 들끓음의 시기에 방향 감각을 살려주는 푯대가 필요했다. '신학을 넓혀 구학을 돕는다'는 그러한 푯대의 하나였다.

3. 바다에서 비추어 유학이 밝아진다

바다란 무엇인가? 예로부터 바다는 서울에서 머나먼 곳, 왕화王化의 밝음이 미치기 어려운 가장 어두운 구석이었다. 육지의 끝 바다는 절망하는 곳이었다. 함평 선비 김성현金星礥(1628~1684)은 명나라 운세가 다함을 보고 바다에서 종적을 감춰 해은海隱 처사라는 칭호를 얻었다. 최남선이 노래하는 소년의 바다는 이와 다르다. 철썩, 철썩, 쏴아, 바다는 육지를 때리고 부수고 무너버린다. 낡음의 파괴, 새로움의 건설이다. 소년의 바다와 함께 유학자의 바다도 새롭게 나타났다. 《유교유신론儒敎維新論》의 지은이로 유명한 안동 유학자 송기식宋基植(1878~1949), 그는 바다 너머를 통찰하고 자기 공부방의 이름을 바다의 창, 곧 해창海窻이라 지었다. 유학자의 아호로 유례가 없는 해창, 그가 투시하고 있던 창 너머 밝은 햇살은 무엇이었을까?

〔번역〕

나라를 잠그고 살면 바다는 담장이다. 나라를 열어놓으면 바다는 창이다. 바다가 담장일 때에는 글 읽는 선비가 자기가 본 것을 높이고 자기가 들은 것을 익힌다. 이 때문에 자기 생각 이외에는 비출 수 있는 다른 생각이 없다. 그런데도 다른 학설이 침입할까 근심해서 외부의 배척을 대의로 삼는다. 바다가 창일 때에는 글 읽는 선비가 고금을 절충하고 동서를 종합한다. 이 때문에 자기 단점을 버리고 남의 장점을 따라 이를 기꺼이 취해 선을 행한다. 그러고도 자기의 학설이 치우칠까 근심해서 겸허한 수용을 주의로 삼는다.

이전 사람은 좁고 지금 사람은 넓다고 말하는 것이 아니다. 이전 사람은 어리석고 지금 사람은 슬기롭다고 말하는 것이 아니다. 이것은 진화의 단계이다. 역사의 추세이다. 만약 이전 사람과 이후 사람이 처지를 바꾸어도 모두 그러할 것이다. 대세가 굴러가는데 누가 그 궤도에 순행하지 않을 수 있겠는가?[84] 이 천하의 이치가 어찌 한 나라, 한 사람의 사유물이겠는가?

내가 어릴 적에 성현의 경서와 영웅의 사서를 읽으면 매번 시정時政이 합당하지 않고 인문人文이 구비되지 않음을 탄식하였다. 해외에서 공화설共和說이 수입되어오자 그런 뒤에야 공자의 대동설大同說과 부합함을 기뻐하였다. 다시 민주설民主說이 수입되어오자 그런 뒤에야 맹자의 민귀설民貴說[85]과 부합함을 기뻐하였다. 국제연맹[86]의 회의가 매일 보도되자 그런 뒤에야 춘추시대의 회맹會盟의 의리와 같음을 기뻐하였다. 가지가지 여러 학설이 이용후생에 부합한 것이 어찌 바깥에서 비추어 안이 밝아지는 것이 아니겠는가? 창은 밝음을 받아들이는 곳이다. 그래서 나의 글 읽는 방을 바다의 창이라고 이름한다.

---

84 원문은 "대세지전운 숙능순기궤도야大勢之轉運, 孰能順其軌道也?"인데 이는 "대세가 굴러가는데 누가 그 궤도에 순행할 수 있겠는가?"로 번역되어 의미가 살아나지 않는다. 원문의 '능能'을 '불능不能'의 잘못으로 여기고 이에 맞추어 번역하였다.

85 맹자는 "백성이 귀중하고 사직이 그다음이고 임금은 가볍다"고 말했다.

86 제1차 세계대전이 종결된 후 세계 평화와 국제 협력을 목적으로 설치된 국제기구이다. 1920년부터 1946년까지 존속하였다.

〔원문〕

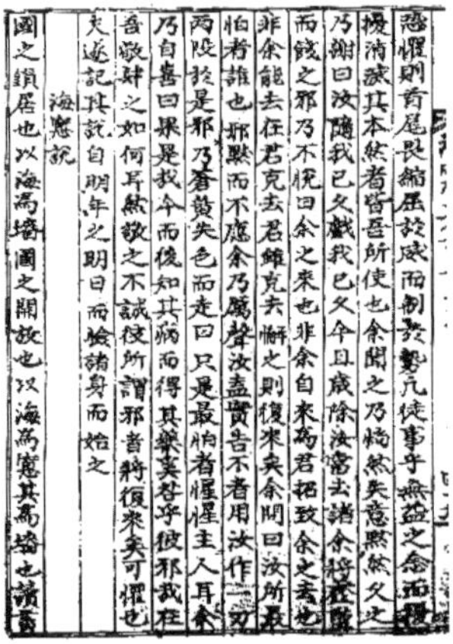

國之鎖居也, 以海爲墻. 國之開放也, 以海爲窻. 其爲墻也, 讀書之士, 尊吾所見, 習吾所聞, 故己見之外, 無他可照, 猶恐他說之侵入, 以排外爲大義. 其爲窻也, 讀書之士, 斟酌古今, 綜合東西, 故舍己從人, 樂取爲善, 猶恐吾說之偏着, 以虛受爲主義. 非曰前人窄今人濶, 非曰前人愚後人智, 是乃進化之階段也, 歷史之步趨也, 若使前人後人易地而皆然也, 大勢之轉運, 孰能順其軌道也? 此天下之理, 豈一國一人之私哉? 余少也, 讀聖賢書英雄史, 每嘆時政之不合, 人文之未備. 及其海外有共和之說舶來, 然後喜與孔子大同之說合, 又民主之說舶來, 然後喜與孟子民貴之說合, 有聯盟之會日報, 然後喜與春秋會盟之義同, 種種諸說, 合於利用厚生者, 豈非照乎外而明于內者耶? 窻受明之所也, 故名吾讀書之室曰海窻.

[출전] 송기식宋基植, 《해창문집海窻文集》 권5 〈해창설海窻說〉

〔해설〕

유럽의 역사에서 15~16세기 '지리상의 발견'이라 불리는 사건은 새로운 바닷길의 개척을 뜻한다. 콜럼버스는 유럽을 출발해 아메리카 신대륙에 도달하였고 마젤란은 유럽을 출발해 대서양과 태평양을 건너 필리핀에 도착했다. '지리상의 발견'에 관한 유럽인들의 영웅담은 예수회 선교사 알레니의 《직방외기》(1623)에 실려 중국과 조선에 알려졌다. 신항로의 개척은 세계 지도의 갱신으로 이어졌다. 이 책에 수록된 〈만국전도〉에는 유럽인이 파악한 당시 세계 지명이 적혀 있는데 오늘날과 다르다.[87] 반면 기독교 선교사 티모시 리처드의 《태서신사남요》(1895)에 수록된 〈오주각국통속전도五洲各國統屬全圖〉는 오대양 육대주의 이름과 위치가 현대 세계 지도와 일치한다. 대한제국 학부는 이 책을 한글로 번역해 출간했을 뿐만 아니라 다시 이 책에 수록된 이 지도를 별도로 간행했

87 오늘날과 달리 조선과 일본의 남쪽에 '대명해大明海'가 있다. 인도 서쪽에 '소서양小西洋'이, 북미 서쪽에 '소동양小東洋'이 있다. 미국 서부와 멕시코는 '신이스파니아新以西把尼亞', 멕시코만의 바다는 '신이스파니아해海', 아이티 섬은 '소小이스파니아도島'이다. 홍해가 둘이 있는데 오늘날의 홍해는 '서홍해', 오늘날 멕시코의 코르테스해는 '동홍해'이다.

다. 이에 앞서 최한기崔漢綺의 《지구전요》와 헐버트의 《사민필지》도 공간되어 나왔다. 한국에서도 서서히 '지리상의 발견'이라 칭할 만한 세계 지리의 혁명적 확장이 일어나고 있었다.

새로운 세계의 발견은 새로운 지식의 쇄도를 뜻하였다. 바다 너머의 새로운 지식이 해일처럼 밀려와 이 땅을 강타했다. 안동 유학자 송기식은 이 상황을 이렇게 말했다. "오늘날의 세계라는 것은 옛날보다 백 배는 된다. 이에 백인이 말하는 '학설'이란 것을 들어보니 루소의 민약설이 마침내 공화제를 초래했고 다윈의 진화설이 문명의 단계를 고동시켰다." 그는 계속해서 와트의 증기설과 프랭클린의 전기설, 마르크스의 과학설과 톨스토이의 노동설도 언급했다. 유학자로서 그가 특히 남다른 관심을 보인 서양 학설은 '서철', 곧 서양 철학의 학설이었는데, 그의 명저 《유교유신론》에는 고대 그리스 철학자 탈레스로부터 근대 영국 사회이론가 벤저민 키드에 이르기까지 여러 학설이 소개되어 있다. 그는 마르크스를 맥객사麥喀士, 벤저민 키드를 힐덕頡德이라 표기했는데 이는 청나라 말기 사상가 양계초梁啓超의 번역어가 성행하던 시대적인 조류를 반영한 현상이다. 중국 근대 사상가 양계초가 구축한 세계 지식은 조선의 유학자에게 지식의 팽창을 안겨줌과 동시에 새로운 지식과 전통적 지식의 관계를 성찰하도록 견인하였다.

송기식은 낙관적인 입장이었다. 그가 보기에 서양의 학설은 유교 전통과 다르지 않았다. 아리스토텔레스는 인성이 본래 서로 사랑한다 했는데 이는 인성은 본래 선하다는 맹자의 말에 지나지 않는 것이었다. 플라톤은 《공화국》이라는 책을 지었는데 이는 공자의 대동설에 지나지 않는 것이었다. 루소는 천부인권을 밝혀 사람이 나면서 평등권이 있고 귀천이 없다고 했는데 이는 맹자가 말한 양지양능良知良能에 지나지 않는 것이었다. 몽테스키외는 행정, 입법, 사법 삼권을 나눈다 했는데 이는 홍범에서 말하는 팔정八政을 분직하는 것에 지나지 않는 것이었다. 진화론의 혁명자 키드는 경쟁하지 않으면 진보하지 않는다고 했는데, 이는 홍범에서 말하는 강剛으로 이기고 유柔로 이긴다는 것에 지나지 않는 것이었다. 그가 자신의 공부방에 바다의 창이라는 이름을 붙인 것은 바깥에서 비추어 안이 밝아진다는 믿음, 곧 해외의 세계 지식에 비추어 유교 해석의 현대적 지평이 확장된다는 통찰이 있었기 때문이다. 그는 여기에 머무르지 않았다. 그 이상의 꿈

이 있었다. '성리', '학설', '종교', '과학', 이런 식으로 갈라져 있는 세상의 온갖 지식을 종합하고 절충하는 일이었다. 그의 공부방은 미래에 태평양으로 대서양으로 펼쳐질 세계 지식의 총론, 원론을 제조하는 작업장이었다. 고금을 절충하고 동서를 종합하여 학문의 총론, 학문의 원론을 창조하는 과업, 오늘날 한국의 학계는 이를 향해 얼마나 진보했는가?

4. 일본 유학이란 무엇인가

일본 유학이란 무엇인가? 사람마다 보는 관점이 달랐다. 이덕무는 말했다. 일본 유학은 주자를 배우는 학문도 있으나(야마자키 안사이山崎暗齋), 주자를 배반하는 학문도 있고(이토 진사이伊藤仁齋), 아예 문학으로 빠져 병든 학문도 있다(오규 소라이荻生徂徠). 정약용은 말했다. 일본 유학이 제법 성숙해져(이토 진사이, 오규 소라이) 문명화가 진척되고 있으니 이제는 과거와 같이 이웃을 침략할 염려는 없겠다. 신채호는 말했다. 일본 유학은 공자가 쳐들어오면 이를 원수처럼 여겨 맞싸우겠다고 하니(야마자키 안사이) 참으로 국가주의 정신이 투철하다. 여기 조선의 또 다른 유학자 장화식蔣華植이 있다. 그는 일본의 또 다른 유학자 오쓰카 다이야大塚退野를 생각했다. 일본 유학을 바라보는 그의 관점은 무엇이었을까?

〔번역〕

소싯적 어느 날 《퇴도언행록退陶言行錄》을 보았는데 선생의 시[88]가 적혀 있었다.

> 이슬 맺힌 고운 풀이 물가를 둘렀는데
> 작은 못의 맑은 활수活水는 고요하여[89] 모래가 없네
> 구름 날고 새 지나감이 원래 서로 간여하니
> 다만 때로 물결 차는 제비가 두려워라.

나는 '구름 날고 새 지나감이 원래 서로 간여하니'라는 뜻을 이해하지 못해서 평상시에 마음속에서 헤아려본 지 오래였다. 하루는 나의 벗 박성중朴聖中[90]이 대구부에서 돌아와

---

88 이황이 18세에 연곡鷰谷에 놀러 갔다가 연곡의 맑은 못을 보고 지은 시이다.

89 이황의 시에는 '깨끗하여[淨]'로 되어 있다.

90 박재시朴在時이다. 장화식은 박재시와 교류하며 일본의 유학자에 관해 많은 대화를 나누었다. 1936년 장화식이 박재시에게 답한 편지에 보면 일본 규슈 유학자

방문했는데 일본의 선비로 퇴야退野[91]라는 호를 가진 사람에게 말이 미쳤다. 그가 이 시를 보고는 '구름 날고 새 지나감이 원래 서로 간여하니'에서 원래[元]라는 글자를 교정하여 '이것은 없을 무[无]를 잘못 기록한 것'이라고 말했다는 것이다. 나는 이 말을 듣고 무릎을 치며 감탄했다. "이것은 내가 40년간 의문을 둔 것인데 이제 의문이 풀렸으니 어찌 유쾌하지 아니한가?"

선생의 생각은 '구름이 날아감은 절로 날아가는 것이고 새가 지나감은 절로 지나가는 것이라 물결을 차서 어지럽히지 않으니 어찌 맑고 고요함에 간여하겠는가? 다만 물결 차는 제비가 있어서 맑고 고요함을 어지럽혀 본래 면목을 잃는 것이 걱정스럽도다'라는 것이었다. 또 이 마음이 본래 물처럼 맑고 고요한데 사욕이 둘러싸 어지럽힘을 비유한 것이었다. 퇴야退野의 견해가 어찌 명쾌하지 아니한가? 비슷한 한

구스모토 세키스이楠本碩水(1832~1916)에 대해 두 사람이 극찬하고 있음을 알 수 있다.

91 오쓰카 다이야大塚退野(1678~1750)이다. 일본 에도 막부 말기에 일어난 이른바 구마모토 실학당의 학문적 원조로 받들어지는 학자이다. 이황의 학문에 심취하여 일본에서 퇴계학의 전승에 크게 기여하였다.

글자 때문에 천 리나 틀렸으니 이 때문에 군자는 사이비를 미워한다.

〔원문〕

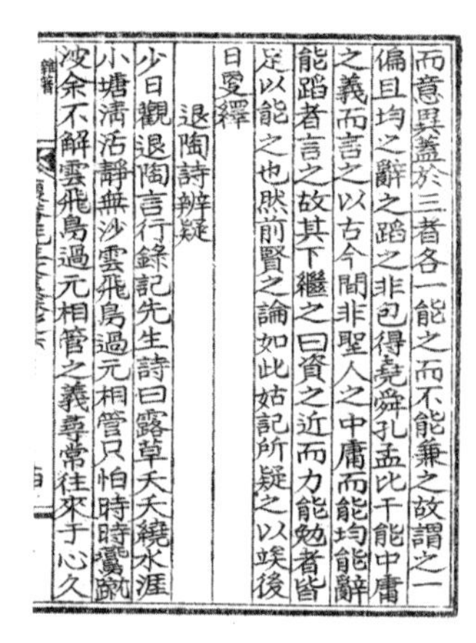

而意異蓋於三者各一能之而不能兼之故謂之一
偏且均之辭之蹈之非包得堯舜孔孟比干能中庸
之義而言之以古今聞非聖人之中庸而能均能辭
能蹈者言之故其下繼之曰資之近而力能勉者皆
足以能之也然前賢之論如此姑記所疑之以俟後
日受繹
退陶詩辨疑
少日觀退陶言行錄記先生詩曰露草夭夭繞水涯
小塘清活靜無沙雲飛鳥過元相管只怕時時鷰蹴
波余不解雲飛鳥過元相管之義尋常往來于心久

少日觀退陶言行錄, 記先生詩, 曰露草夭夭繞水涯, 小塘清活靜無沙, 雲飛鳥過元相管, 只怕時時鷰蹴波. 余不解雲飛鳥過元相管之義, 尋常往來于心久矣. 日吾友朴聖中, 自大丘府回訪, 言及日本士人號退野者, 看到此詩, 雲飛鳥過元相管, 校正元字, 曰此无字之誤也. 余聞之擊膝, 歎曰此余四十年致疑者, 今得解疑, 何快如之. 先生之意, 雲之飛自飛, 鳥之過自過, 無蹴亂之及, 則何管於水之淸靜耶? 但有鷰蹴其波, 亂淸靜, 失其本面, 是可怕矣. 且此心本如水之淸靜, 而私欲撓亂之比也. 退野之見, 豈不明快耶? 一字之近似, 而謬至千里, 是故君子惡夫似也.

[출전] 장화식,《복암집復菴集》 권6 〈퇴도시변의退陶詩辨疑〉

〔해설〕

도쿠가와 막부시대 일본에서 가장 유학이 발달했던 번藩의 하나가 규슈의 구마모토熊本번이다. 구마모토번은 1755년 시습관時習館이라는 번교藩校를 설립했는데 차츰차츰 주자학의 열기가 고조되어 번교 안에서 주자학을 공부하는 모임이 활성화되었다. 막부 말기 정치의식이 투철한 일부 사무라이는 번교 바깥으로 나가 주자학 언더서클의 성격이 있는 사숙私塾을 열고 정치를 토론했다. 이것이 구마모토 실학당實學黨의 형성 배경인데, 사쯔마薩摩번의 근사록당近思錄黨도 그렇고 막부 말기 이러한 학당의 결성은 사무라이에게 사士의식을 고취하여 정치 변혁의 원동력을 제공하였다.

여기서 '실학당'이란 명칭이 흥미롭다. 이들이 말하는 실학이란 현재의 세사를 연구해 군자가 되겠다는 것으로 사서와 《근사록》을 회독하며 글 뜻을 새겨 정치의 득실을 논하고 야쿠닌役人의 잘잘못을 따지는 것이었다. 유교적 이상의 현재적 실천을 추구하는 실학당의 유교적 보편주의는 실학당의 중심인물 요코이 쇼난横井小楠(1809~1869)에게서 발견할 수 있다. '서양의 기예와 동양의 도덕[西洋藝術, 東洋道德]'을 제창한 사쿠마 쇼잔佐久間象山(1811~1864)과 함께 막부 말기 경세가로 저명했던 그는 '요순 공자의 도를 밝히고 서양 기계의 술을 다하여 부국강병을 이룩하고 사해에 대의를 펼친다'는 경세의 포부를 안고 있었다.

구마모토 실학당은 자신의 학파적 출발을 동향의 선진 오쓰카 다이야大塚退野(1678~1750)에게 두고 그를 일본 주자학의 도통으로 존숭하였다. 오쓰카는 위인지학爲人之學의 세속적 인간이 위기지학爲己之學의 도덕적 인간으로 거듭나는 내면적인 자기 변혁을 중시했고 자신을 주자학으로 이끌어준 이황李滉의 《자성록自省錄》을 존신했다. 오쓰카를 현창한 실학당의 요코이 쇼난은 주희 이후 고금의 진유로 조선 유학자 이황을 손꼽았고 문인 도쿠토미 가즈타카德富一敬(1822~1914, 도쿠토미 소호德富蘇峰의 부친)에게 이황의 《자성록》을 인용해 마음공부를 충고하였다. 역시 오쓰카의 후학으로 《일본도학연원록日本道學淵源錄》을 편찬한 구스모토 세키스이楠本碩水(1832~1916)는 이황을 '주자 이후 1인'으로 생각하고 이황과 관계된 방대한 문헌을 구축하였다. 그 종손 구스모토 마사쓰구楠本正繼(1896~1963)는 《송명시대 유학사상의 연구》로 잘 알려진 규슈대학 중국철학자였다.

오쓰카 다이야가 우리나라에 처음 알려진 것은 모토다 나가자네元田永孚(1818~1891)의 편지에 부친 우치다 슈헤이内田周平(1854~1944)의 발문이 재일 유학생 잡지 《대한학회월보》에 소개된 1908년이 아닌가 싶다. 모토다는 구마모토 실학당 멤버로 메이지 교육칙어를 기초한 인물이고 우치다는 구스모토 세키스이의 문인으로 두 사람 모두 오쓰카 다이야를 연원으로 하였다. 우치다는 이 글에서 모토다의 학문이 오쓰카에게서 나왔는데 오쓰카는 이황의 글을 읽고 정주程朱를 독신했으며, 모토다가 오쓰카의 이 학문을 받들어 메이지를 보필하고 있음을 찬미하였다. 이 글은 이황의 주자학이 메이지 일본의 근대 문명에 기여하고 있다는 의미로도 읽힐 수 있었는데, 실제 이 글을 읽은 박은식은 이황의 학문이 일본에서 '동양철학'의 범주에서 연구되고 있다는 학문적 현재성에 주목하였다. 《매일신보》 1916년 기사는 이황의 《자성록》과 《주자서절요》가 일본에서 번각되어 야마자키 안사이, 오쓰카 다이야, 요코이 쇼난, 모토다 나가자네 등에게 영향을 끼쳤음을 말했다.

근대에 유입된 일본 주자학에 관한 새로운 지식은 조선 유학자에게 신선한 자극을 주었다. 이를테면 경상도 청도 유학자 장화식(1871~1947)은 동향 친구 박재시와 더불어 일본의 주자학에 관해 곧잘 토론하곤 했는데, 한번은 박재시가 앞서 말한 구스모토 세키스이를 일본의 진유라고 높이 평가하는 편지를 보내자 답신을 보내 구스모토 세키스이의 학문이 공맹정주孔孟程朱의 문로에서 나왔고 왕왕 중국과 조선의 선유가 미처 연구하지 못한 데를 말했다고 비평하였다. 그는 구스모토를 높이 평가했을 뿐만 아니라 구스모토의 문인 우치다 슈헤이 및 오카 나오카이岡直養(1864~?)와도 교분이 있었다.

장화식은 우치다와 오카 두 사람을 통해 일본 주자학 문헌을 얻었는데, 우치다로부터는 구스모토 세키스이의 《어략語略》과 비토 니슈尾藤二洲(1745~1813)의 《택언擇言》을, 오카로부터는 미야케 쇼사이三宅尙齋(1662~1741, 야마자키 안사이의 문인)의 《묵지록默識錄》과 구메 데이사이久米訂齋(1699~1784, 미야케 쇼사이의 문인)의 《학사록學思錄》을 선물 받았다. 이 책들에 대한 그의 감상은 모두가 정주程朱를 조술하고 이황을 종주로 삼아 의리가 정박하고 견해가 투철하다는 극찬이었다. 박재시의 질자 박장현朴章鉉(1908~1940)도 구스모토 세키스이로부터 처음 일본 주자학을 발견하였고 비토 니슈의 《택언》을 읽은 후 주자학이 침체된 중국이나 조선과 달리 일본에서 우치다 슈헤이의 힘으로 주자학이 번성할 것을 기대하였다.

장화식은 그가 접한 일본 주자학에서 학문적 감흥을 받았음은 물론 그가 수행하고 있는 이황의 작품 연구를 위한 실제적 도움을 받기까지 하였다. 그가 《퇴도언행록》에 실린 이황의 시구 해석에 어려움을 겪어오다가 오쓰카 다이야의 교감 작업을 알게 되어 40년간의 의문이 풀렸음을 고백한 것은 근대 한일 유학사의 에피소드라 이를 만한 어떤 상징적 사건이었다. 이황의 《자성록》을 읽고 양명학에서 주자학으로 좌정한 일본 구마모토 유학자의 이황 연구가 다시 조선 청도 유학자에게 수용되어 이황의 작품 세계를 재해석하는 길이 열린 것이다. 학문이란 그런 것. 이황은 주희를 만났고 오쓰카 다이야는 이황을 만났고 다시 장화식은 오쓰카와 만났다. 학문을 향한 신실한 만남 앞에 국적이 무엇일까? 장화식에게 일본 유학이란 글로벌 퇴계학의 소중한 자원이었으리라.

5. 유학의 도는 정덕인가 대덕인가

유학의 길을 네 글자로 나타내면 수기치인이다. 자기를 수양하는 도덕학인 동시에 타인을 다스리는 정치학이다. 《대학》의 8조목은 이 수기치인의 스펙트럼을 여덟 가지로 제시한 것인데, 격물치지로부터 치국평천하에 이르기까지 넓은 영역에 걸쳐 있다. 치국과 평천하를 어떻게 실현할 것인가. 이를 위해 유학을 새롭게 완성하려는 사상이 근대에 대두한다. 유학의 정덕正德에 서학의 이용후생을 결합해야 유학이 완성되는 것이 아닐까? 이것은 치국의 문제이다. 그럼 평천하를 위해서는 무엇이 필요한가. 정덕과 이용후생을 말했던 조선 말기 사상가 김윤식金允植(1835~1922), 그는 어느 날 천하를 위해 유학이 대덕大德이 되기를 소망한다. 유학의 도는 정덕인가, 아니면 대덕인가?

〔번역〕

사람은 습성이 비록 서로 멀어도 본성이 선하다는 점은 같고 각 교敎는 종지宗旨가 비록 달라도 선을 행한다는 점은 같다. 사람이 지키는 바가 없으면 항심恒心이 없고 항심이 없으면 방탕과 사치에 휩쓸린다. 종교라는 것은 사람에게 선을 행하고 항심을 지키라고 권할 수 있는 소이所以이다. 때문에 왕자王者는 사람이 똑같이 타고난 것으로 인해 지키는 바를 보존해 각기 항심을 보존하여 악에 빠지지 않게 했을 뿐이지 이교異敎라고 배척한 적은 없었다.

태서泰西 여러 나라 역시 인심을 강제할 수 없음을 알았기 때문에 인민에게 신교信敎의 자유를 허락했고 다시 그것을 보호하여 마침내 세계에 통행되는 규례가 되게 했다. 사람들은 이 규례가 태서에서 나온 줄은 알지만 선왕先王의 도가 본래 이러했던 줄은 알지 못한다. 공자는 "이단을 공攻하면 — 공攻은 마땅히 공격攻擊의 공攻이 되어야 한다 — 이에 해로울 뿐이다"라고 했다.[92] "가르침에 차별을 두지 않는다"라고 했다.[93] "내가 남에 대해 무엇을 비난하고 무엇을 칭찬할까? 이 백성은 삼대三代 때부터 곧은 도를 행해 온 사람들이기 때문이다"라고 했다.[94] 성인이 충후하고 다그치지 않으며 범위가 광대한 것은 마치 천지가 만물을 포용하는 것과 같으니, 일부만 아는 견해로 헤아릴 수 있는 것이 아니다.

맹자 때 양주楊朱와 묵적墨翟이 해로웠다. 맹자가 변론하여 물리쳤으나 오히려 "내가 어찌 변론을 좋아하랴. 부득이해서 그랬을 뿐이다"라고 했다.[95] 그러나 양주와 묵적의 도는 사라진 적이 없으니, 후세 수련修鍊을 주로 하는 자는 모두 양주를 따르는 무리였고 겸애兼愛를 주로 하는 자는 모두 묵적을 따르는 무리였다. 지금까지 병행하여 온 세상에 가득하

---

92 《논어·위정爲政》에 나오는 구절이다. 주희의 《논어집주》는 '이단을 공격하면'이 아니라 '이단을 전공하면'으로 풀이한다. 김윤식이 이 글에서 '공은 마땅히 공격의 공이 되어야 한다'고 세주를 첨가한 것은 《논어》의 이 구절이 주희의 《논어집주》처럼 읽히기를 원하지 않았기 때문이다.

93 《논어·위령공》에 나오는 구절이다.

94 《논어·위령공》에 나오는 구절이다.

95 《맹자·등문공하滕文公下》에 나오는 구절이다.

니 '환하게 터놓았다'라는 것이 어디에 있는가?[96] 한무제는 동중서의 말을 받아들여 육경六經을 표장하고 백가百家를 물리쳐 춘추대일통春秋大一統의 의리를 폈다. 그러나 한나라는 다스리는 방법이 순수하지 않아, 황로黃老·신한申韓의 학문[97]과 위서緯書의 불경한 설[98]이 그 사이에 섞여서 행해져 유교가 도리어 미약했으니 '대일통할 수 있었다'는 것이 어디에 있는가?

《중용》에 "만물이 함께 길러져 서로 해치지 않고, 도가 나란히 행해져 서로 위배되지 않는다. 작은 덕은 냇물의 흐름이고 큰 덕은 교화를 돈독히 한다. 이것이 천지가 위대한 까닭이다"라고 하였다.[99] 작은 덕이 냇물의 흐름이라는 것은 만 가지 부류가 같지 않음을 가리킨다. 큰 덕이 교화를 돈독히 한다는 것은 만 가지 부류를 품어 대동大同의 교화로 돌아가

---

96 한유韓愈의 〈여맹상서서與孟尙書書〉에 나오는 구절이다. 《맹자집주》〈서설〉에도 수록되어 있다. '환하게 터놓았다'는 말은 맹자가 '변론하여 물리쳐' 환하게 터놓았다는 뜻이다.

97 황제黃帝와 노자老子의 도가와 신불해申不害와 한비韓非의 법가를 가리킨다.

98 유가 경서에 부회하여 길흉화복을 예언하는 위서緯書의 학설이 경서의 올바름에 근거하지 않았음을 가리킨다.

99 《중용장구中庸章句》 제30장에 나오는 구절이다.

는 것을 가리킨다. 넉넉하게 크도다! 편당偏黨하지 않아 왕도王道가 넓고 크니 황극皇極의 도가 아니겠는가? 당동벌이黨同伐異하여 편파적인 태도가 있음을 보인다면 왕자王者의 정사가 아니다. 무익할 뿐 아니라 다시 해롭다.

누군가 말하리라.

"그대도 지난날 이교를 배척하자는 논의를 했었네. 지금 갑자기 이와 반대로 말하는 것은 어째서인가?"

"교敎를 자탁해 심술心術을 해치고 정사를 방해하면 배척해야 옳다네. 만약 삼가 교敎를 지켜 항심을 잃지 않았다면 모두 우리 동포의 양민이라 이들을 선善으로 몰아갈 수 있으니 어찌 배척하겠는가? 근래 중화 사람들이 공자의 교敎를 국교로 하려 하는데, 각 교敎에서는 편파적인 일이 있을까 의심하여 떼지어 일어나 반대하고 있으니, 이에 공교孔敎 하는 사람들은 더러 유감이 없지 않겠네. 그러나 성인의 도는 지극히 크고 바깥이 없어서, 무릇 혈기가 있는 자라면 이를 존친尊親하지 않음이 없으리니 지금 일국의 교敎로 한정하면 또한 작지 않겠는가. 반대에 부딪치는 허물을 초래하게 된 것도 당연하네."

〔원문〕

人之習性雖相遠, 而其性之本善則同. 各敎之宗旨雖殊, 而其所以爲善則同. 夫人無所守則無恒心, 無恒心則流於放僻邪侈, 敎者所以勸人爲善而守其恒心者也. 是以王者因其所同而存其所守, 使之各保恒心, 不陷於惡而已, 未嘗以異敎而斥之也. 泰西諸國, 亦知人心之不可强制, 故許人民之信敎自由, 又從而保護之, 遂爲世界通行之規. 人知此規之出於泰西, 而不知先王之道本自如是也. 孔子曰攻乎異端(攻當作攻擊之攻)斯害也已, 又曰有敎無類, 又曰吾之於人何毁何譽, 斯民也三代之所以直道而行也. 聖人之忠厚不迫, 範圍廣大, 如天地之無不覆載, 非曲見之所可擬也. 孟子之時, 楊墨爲害, 孟子辭以闢之, 猶曰予豈好辯哉, 予不得已也. 然而楊墨之道未嘗廢也, 後之主修鍊者, 皆楊氏之流也, 主兼愛者, 皆墨氏之流也, 至今並行, 彌滿一世, 安在其能廓如也.漢武帝用董生之言, 表章六經, 罷黜百家, 以伸春秋大一統

之義, 然漢世之治術不純, 黃老申韓之學, 緯書不經之說, 錯行乎其間, 而儒教反微, 安在其能一統也. 中庸曰萬物並育而不相害, 道並行而不相悖, 小德川流, 大德敦化, 此天地之所以爲大也. 小德川流者, 指萬類之不同也, 大德敦化者, 指包萬類而歸於大同之化也. 優優乎大哉! 無偏無黨, 王道蕩蕩, 非皇極之道乎? 若黨同伐異, 示有偏袒, 非王者之政也. 非徒無益, 而又害之. 或曰子於往日, 亦爲闢異之論, 今忽反是何也? 曰藉教而害於心術, 妨於政事, 闢之可也. 若謹守其教而不失恒心, 皆吾同胞之良民, 可以驅而之善, 何爲闢之哉? 近日中華人, 欲以孔子之教爲國教, 各教以有偏袒之嫌, 羣起反對. 於是爲孔教者, 或不能無憾, 然聖人之道, 至大無外, 凡有血氣者, 莫不尊親, 今限之爲一國之教, 不亦小乎? 宜致反對之咎也.

[출처] 김윤식金允植, 《운양집雲養集》 권15 〈돈화론敦化論〉

〔해설〕

조선 후기 오광운吳光運(1689~1745)은 유형원의 《반계수록》 서문에서 도기불상리道器不相離를 말했다. 곧 도道와 기器는 서로 떨어지지 않는다는 뜻이다. 도는 도덕이다. 기는 제도이다. 도와 기는 본래 삼대에 구비되었으나 주나라 말기를 거치며 모두 파괴되었는데 송대의 정주학은 도를 밝히는 데는 성공했으나 아직 기에는 미치지 못했다. 도가 기와 떨어져 홀로 실행될 수 있을까? 《반계수록》은 전제田制를 근본으로 제도를 회복함으로써 정주학의 남은 과제를 완수한 책이다. 오광운은 이를 '천하 선비'에 의한 '천하만세의 책'이라고 극찬한다. 오늘날 《반계수록》은 조선 후기 실학의 대표작으로 알려져 있지만 정작 조선 후기 사람 오광운에게 그것은 정주학의 완성을 의미했다.

조선 말기 신기선申箕善(1851~1909)도 《농정신편農政新編》의 서문(1881)에서 도道와 기器를 말했다. 서양 농법 수용의 정당성을 설득하고자 도와 기의 관계를 설명했다. 그는 먼저 도와 기의 상분相分을 말한다. 도는 불변의 영역, 기는 변화의 영역이니 양자는 서로 침범하지 않는다. 도는 정덕正德, 기는 이용후생인데 정덕을 위한 조선의 도와 이용후생을 위한 서양의 기는 병행할 수 있다. 이어서 도와 기의 상수相須를 제시한다. 풍기가 개화하는 이때 서양의 이용후생은 천하무적이다. 중국의 도는 서양의 기와 결합하지 못하니 유명무실하지 않은가. 그러니 조선은 조선의 도를 갖고 서양의 기를 행하자!

오광운은 도와 기가 떨어져 있지 않고 신기선은 도와 기가 서로 이루어 준다고 말했다. 유학의 더 나은 미래를 위해, 유학의 본연을 회복하기 위해 도와 기를 결합하려는 노력이다. 차이가 있다면 신기선은 서양의 기를 유학의 도에 합체하고자 했고, 그랬기에 서양의 교와 서양의 기를 구별하는 도기상분道器相分을 먼저 말한 뒤에 유학의 도와 서양의 기를 합체하는 도기상수道器相須를 본격적으로 말했다. 신기선에 이어 김윤식도 서양의 교를 배척하고 서양의 기를 본받는 일이 병행될 수 있으며 조선이 본래의 예의를 지키면서 부강을 추구해야 한다고 말했다. 이제 시의가 달라졌기 때문에 흥선대원군이 전국에 세운 '척양비'를 모두 뽑아버리라는 말도 덧붙였다.

신기선과 김윤식은 도와 기의 결합을 말했고 동도서기론의 선구자로 알려져 있다. 현대 한국학계에서 동도서기론을 최초로 입론한 한우근(1915~1999)의 주안점은 몰주체적 개화와 구별되는 자주적 개화의 발견에 있었고 이와 관련하여 조선 후기 북학파의 이용후생론이 조선 말기의 동도서기론으로 연속하고 있음을 제시하였다. 흔히 동도서기론에 대해 서양의 교와 서양의 기를 구별하는 '도기상분'에 초점을 두어 논의의 무게중심이 서교-서기에 있었던 것처럼 오해하는 경향이 있다. 그러나 논의의 무게중심은 어디까지나 동도-서기에 있었던 것이며 서양의 기와 조선의 도를 합체하는 '도기상수'에 초점이 두어져 있었다. 신기선도 김윤식도 도기론의 관점에서 기를 보고 있었다.

다시 세월이 흘러 대한제국 학부 관리 박은식은 '종교'에 주목하면서 유학의 새로운 차원을 모색했다. 논의 구조는 다르지 않다. 동도와 서기의 병행 발전이다. 그러나 동도와 서기를 보는 관점이 깊어졌다. 서기에 대해서는 서기 그 자체보다 서기에 관한 지식을 생산하는 신학문의 진흥으로 논점이 이동했다. 동도에 대해서는 전통적인 조선의 도 그 자체보다 서양의 교에 비추어 현대적으로 자각된 도덕의 배양으로 논점이 변화했다. 서양은 종교를 유지해서 인간과 국가를 위한 도덕이 굳건한데 대한제국도 유학을 종교로 수립해서 도덕을 회복해야 하지 않겠는가. 이것은 동도와 서기 둘 다 아우르는 제안이었다. '동도서기'라는 용어도 이 무렵 박은식의 벗 전병훈의 상소에서 처음 보인다. 어쩌면 '동도서기'는 대한제국 초기의 현상은 아니었을까?

유학에 종교적 제도성을 부과해 자율적인 종교 교단으로

만들어 명실상부한 도덕을 보급한다는 아이디어는 좋다. 하지만 그렇게 해서 나오는 유교의 도덕은 불교의 도덕, 기독교의 도덕과 다른 것일까? 또 그렇게 해서 나오는 유교의 도덕은 본질적으로 유학 본래의 도와 일치하는 것일까? 박은식은 대한제국 초기 국가 자강을 위한 국교國教의 창출을 추구했다. 그러나 대한제국 말기 그는 별도로 대동교大同教라는 종교를 창립했다. 제국주의의 활극이 횡행하는 난세에 처하여 고통 받는 인민을 구원하고 세계 평화를 이룩하는 새로운 유교를 수립하려는 노력이었다. 대동교는 1909년 10월 10일 성균관 비천당에서 개교 기념식을 열었다.

김윤식은 박은식의 대동교에 참여했고 《대동교서언大同教緒言》의 서문을 지었다. 동서양의 공리주의를 척결할 수 있는 방법이 유학의 대동설大同說이라 말했다. 이어서 〈돈화론〉을 지은 그는 대동의 뜻을 《중용》에 비추어 다시 새롭게 돌아보았다. '도가 나란히 행해져 서로 위배되지 않는다.' 유교, 불교, 기독교는 모두 병행불패한다는 것. '큰 덕은 교화를 돈독히 한다.' 유교, 불교, 기독교는 모두 대동의 교화로 돌아간다는 것. 이제 현대 유학에 어떤 사명이 있는지 명확해졌다. 유학의 도, 그것은 정덕正德이라기보다는 차라리 대덕大德이었다. 이용후생의 기와 어떻게 결합할 것인지 하는 문제보다는 천하의 만민을 어떻게 교화할 것인지 하는 문제로 관심이 변화했다. 대덕大德은 돈회敎化라! 현대 유학의 시작이었다.

6. 가짜 신학문을 비판한다

동아시아 유학사는 다사다난하다. 전통적으로 금문경학-고문경학, 주자학-육왕학, 송학-한학, 호학-낙학 등의 대립이 존재했다. 한국 근대에는 구학과 신학의 대립도 큰 사건이었다. 서양의 외래 학문은 신학문으로, 조선의 전통 학문은 구학문으로. 구학-신학의 시대를 살았던 한국 근대 강화학파의 이건방李建芳(1861~1939)은 여기에 가짜와 진짜의 대립을 추가한다. 조선시대에도 가짜 도학을 경계했던 이들은 있었으나 이건방은 가짜 신학문까지 비판했다는 점에서 독보적이었다. 그가 원했던 실심실학이란 무엇이었을까?

〔번역〕

…… 아! 산림의 선비는 이러한데 그러면 오늘날 이른바 사회 인사들은 더러 부끄러움을 알아 분발하여 사방에 유학해서 지식을 깨우치고 있는가? 내가 이들을 찾은 지 몇 해 되었는데 멀리 외딴곳에 살아 사람들과 드물게 만나니 자세히 물어볼 길이 없었다. 그러나 몇 년 이래 사회에서 저명한 사람들이 열 명 백 명 늘어나서, 취지서를 내거나 월보를 간행하고 신문에 기재되거나 교유로 전해듣기도 했다. 더러 그 담론을 추찰하여 생각하거나 더러 그 행사에 참여해 생각했는데 비록 깊은 데까지 모두 얻지는 못했지만 대강을 집었다고는 이를 만하다.

어쩌면 내가 정밀하게 알지 못하고 전해준 사람이 잘못 알았던 것일까? 실심과 실학으로 이름난 사람은 어찌 그리 쓸쓸한지, 그저 기이한 물결과 괴상한 구름처럼 심오하여 헤아리기 어려움을 볼 뿐이겠고, 윤리에 어긋나고 예법을 어기며 몸가짐을 하지 않고 방자하게 구는 사람도 왕왕 있었다. 아! 이 또한 신학술의 가짜이다. …… 저들 가짜로 신학 하는 자들은 이미 효제孝悌의 질박한 행실도 없는 데다 부패한 구속舊俗은 아직 반드시 고치지도 못했다. 그저 저들의 좋지 않은 습관이나 본받으면서 진화의 새로운 이치는 아직 반드시 깨치지도 못했다. 동서양의 장점은 버리고 천하의 단점을 모았으니 어찌 혼란스럽지 않겠는가. 내가 이에 대해 자주 한숨 쉬고 심히 개탄하여 더욱 이 세상이 어찌할 수 없음을 알았다.

…… 신학新學으로 저명해 유지有志로 이름난 사람들의 말을 보면 '우리나라 훈몽서訓蒙書 중에 맹자의 말을 인용해 교훈으로 삼는데, 맹자는 지나支那 사람이라 이것으로 아이를 가르치면 아이의 감각이 지나 사람의 숭배에 있게 되어 노예 성질을 기르고 조국 정신을 잃을 것이다'라고 한다. 대저 도는 천하에 있으니 동서로 나뉘지 않고 중외에 간격을 두지 않는다. 그 사람을 존경하는 것은 그 도를 존경하는 것이다. 도가 서양에 있으면 나는 참으로 이를 숭배할 것이다. 하물며 중국은 신성한 구역이고 우리와 가깝지 않은가. 진실로 이 말은 주공·공자 같은 성인이나 안자·증자 같은 현인, 《중

용》의 중화위육中和位育[100]과 《대학》의 수제치평修齊治平[101]도 모두 배척하고 따르지 않겠다는 것이다. 따르지 않을 뿐 아니라 혹시라도 눈에 가까이 오고 귀에 들어올까 염려해서 마치 짐독鴆毒처럼 두려워하고 사갈처럼 피한 뒤에야 괜찮다는 것이다.

천하에 어찌 이런 일이 있겠는가. 그러나 그래도 그들이 자신自信에 과감하고 조국에 독실해서 그런가 의심해서 자세히 구하면 본조本朝의 선현인 정암靜庵·퇴계退溪·우계牛溪·율곡栗谷 여러 선생의 말도 방자하게 욕하고 모멸하니 그들이 조국을 추중하지 않음을 또 알 만하다. 그러나 그래도 그들이 자립에 용감하고 배외에 예리해서 그런가 의심해서 자세히 구하면 그들이 루소·몽테스키외·칸트·다윈의 말을 흠앙하고 찬탄함이 마치 신명과 점괘를 대하듯 할 뿐만이 아니니 그들이 배외를 주로 하지 않음을 또 알 만하다.

그러면 어디에 근거해서 판단해야 하겠는가. 구주歐洲의

---

100 《중용》에 '중中은 천하의 대본大本이고 화和는 천하의 달도達道이다中也者, 天下之大本也. 和也者, 天下之達道也', '중中과 화和를 지극히 하면 천지가 제자리하고 만물이 길러질 것이다致中和, 天地位焉, 萬物育焉'라는 구절이 있다.

101 《대학》의 8조목 중에 '수신·제가·치국·평천하'가 있다.

학술을 흠모하는 것은 노예 성질이 아니고 중국 성인의 가르침을 가르치는 것만 노예 성질인가? 본조 선정先正을 모멸하면 조국 정신을 잃지 않고 지나의 남은 경서를 배척하면 조국 정신을 지킬 수 있는가? 이미 서양 학술을 배워야 한다는 것을 알았다면 또한 마땅히 중국 성인의 가르침도 따라야 한다는 것을 알아야 할 것이다. 이미 중국 성인의 가르침을 따라야 한다는 것을 알았다면 또한 마땅히 본조 선정을 존중해야 한다는 것을 알아야 할 것이다.

만약 시대가 같지 않음이 있고 형세가 편리하지 않음이 있어서라면 어찌 동양의 현인들의 말에 대해서만 옛날에 부합하나 오늘날에 부합하지 않을 염려를 면하지 못했다고 할 것인가. 즉 구주歐洲의 옛날 철인들의 말에 대해서도 당연히 저쪽에는 적합하나 이쪽에는 적합하지 않을 염려가 있을 것이다. 이것은 잘 배운 사람이 식별해서 균형을 맞추는 것이 어떠하냐에 달려 있을 따름이다. 적합한지 적합하지 않은지를 묻지도 않고 동양을 배척하고 서구를 숭상한다면 근본을 등지고 성인을 속이는 일이니 다시 조국에 무슨 관계가 있겠는가. 이것이 내가 이해하지 못하는 첫 번째 문제이다. ……

〔원문〕

…… 嗚虖! 山林之士, 旣若是矣, 則抑今日所謂社會中人, 尙或能知恥而發憤以游學於四方而開其知識歟? 吾嘗求之有年矣, 顧所居僻遠, 罕與人接, 無從而叩其詳也. 雖然數年以來, 以會以社而名著以十百數, 而趣旨之發起, 月報之刊行, 新聞之記載, 交游之流傳, 或推其談論而究之, 或參其行事而考之, 雖未得悉其底蘊而亦可謂撮其梗槪矣. 豈吾識之未精而傳者有誤耶? 何寥寥無聞於實心實學, 而惟見其波濤雲詭, 洸洋莫測, 而悖倫常越禮防, 以自肆於拘檢之外者, 往往而是也. 嗚虖! 是又新學術之假者也. (중략) 彼假於新學者, 旣蔑其孝悌之質行, 而腐敗之舊俗未必改也. 惟效彼習慣之不類, 而進化之新理未必得也. 去東西之長, 而叢天下之短, 若之何不之亂也? 吾於是未嘗不累唏深慨, 益知斯世之不可爲也. …… 其著名新學而號爲有志者之說, 曰吾東訓蒙書中, 引孟子之言以爲訓. 孟子支那人也, 以是授兒, 兒之感覺, 在於崇拜支那人, 長奴隸之性, 失祖國之精神. 夫道之在天下也, 無分於東西, 無間於中外, 尊其人所以尊其道也. 使道而在於西洋, 吾固將崇拜之, 況中國爲神聖之區而密邇於我乎? 信斯言也, 雖周孔之聖, 顔曾之賢, 中和位育之達道, 修齊治平之大學, 皆將揮斥而不遵, 不

惟不遵而已, 將懼其或近於目而或入於耳, 畏之如鴆毒而避之如蛇虎而後可也. 天下寧有是也? 然猶疑其果於自信而篤於祖國, 從而求其詳, 則其於本朝先賢靜退牛栗諸先生之言, 肆加詬侮, 則其不推重祖國尤可知也. 然猶疑其勇於自立而銳於排外, 又從而求其詳, 則其於婁騷孟德斯鳩康德達爾文之言, 欽仰讚歎, 不啻若神明蓍龜, 則其不主於排外又可知也. 然則是將奚據而爲斷乎? 希慕歐洲之學術不爲奴性, 而敎授中國之聖訓獨爲奴性乎? 侮蔑本朝先正則不失祖國之精神, 而排斥支那之遺經可保祖國之精神歟? 夫旣知西洋學術之不可不學, 亦當知中國聖訓之不可不遵, 旣知中國聖訓之不可不遵, 又當知本朝先正之不可不尊. 若其時有不同而勢有不便, 則豈惟東洋諸賢之言或未免合於古不合於今之慮也? 卽歐洲往哲之論亦當有宜於彼不宜於此之虞也. 此在善學者識別而權衡之如何耳. 苟不問其宜與不宜, 槩斥東洋而悉尙西歐, 則背本而誣聖, 又何有於祖國哉? 此吾所未解者一也. ……

[출처] 이건방李建芳, 《난곡존고蘭谷存稿》 권6 〈원론 하原論 下〉

〔해설〕

'진짜 사대부가 되고 싶지 가짜 도학자는 되고 싶지 않다.'

명나라 소보邵寶(1460~1527)의 말이다. 이수광李睟光은 《지봉유설》에서 이 구절을 명언이라고 했다. 근세 조선의 사대부를 보니 진짜 사대부는 적고 가짜 도학자도 있더라고 평했다. 성대중成大中의 《청성잡기》에는 이런 말이 있다. '가짜 군자는 되기 쉽지만 진짜 소인은 되기 어렵다. 가짜 도학자는 되기 쉽지만 진짜 사대부는 되기 어렵다.' 곽종석郭鍾錫은 이런 말도 전하고 있다. '명절名節은 도학에서 나와야 진짜 명절이고 도학은 명절이 부족하면 가짜 도학이다.' 조선 후기 가짜 도학이 들어가는 격언이 유행했음을 볼 수 있다. 홍현주洪顯周의 《지수염필》은 윤광현의 이야기를 전하며 19세기 서울의 가짜 도학의 세태를 전하고 있다.

진짜와 가짜의 분별은 양명학의 근본 정신으로 알려져 왔다. 정인보鄭寅普는 〈양명학연론陽明學演論〉에서 양명학의 근본이 '일진무가一眞無假', 곧 한결같이 참되고 거짓이 없음에 있다고 단언했다. 가짜에 대한 비판의식이 치열했던 조선 후기 학자를 꼽으라면 이충익李忠翊(1744~1816)이 있다. 그는 〈가설假說〉을 지어 성현의 인의를 사욕으로 가차하여 자기 소유로 삼아 사유화하는 문제를 통렬히 비판했다. 또한 당쟁에서 이기려고 성현을 가차하여 치고받는 세태, 자기 합리화를 위해 성현을 악용하는 세태를 비판했다. 예를 들어 공자가 위령공衛靈公의 부인을 만나려 했다는 《논어》의 구절을 이용해 당나라 측천무후의 도당이 자기를 합리화하는 일이 었다. '성현을 가차해 군자의 잘못을 수식하는 것은 소인의 악행을 이루어 주는 것이다.' 이충익이 지은 〈군자지과설君子之過說〉의 결론이다.

조선 말기 이상수李象秀(1820~1882)도 성현을 함부로 인용하여 사욕을 수식하는 조선의 세태를 비판하였다. 여색을 좋아하는 자가 《대학》에 있는 '여호호색如好好色'을 핑계 대고 화복에 빠져 있는 자가 소옹이 '술수를 좋아했다好術數'를 구실 삼는 풍조가 만연한 상황에서 유학의 본래적인 아어雅語가 비루한 속어로 타락하는 유교의 세속화 현상을 비판하였다. 이상수와 함께 고종대 산림학자로 징소된 김낙현金洛鉉(1817~1892)은 허虛를 앓고 있는 학계에 실實이라는 약을 투여해야 한다고 생각했다. 과거 시험에 매몰된 선비들, 전통을 과시하는 고가의 후손들, 성리설을 입으로나 말하는 유생들, 그저 취미에 빠져 훈고·사장·금석을 좇는 사람들은 진실한 학문을 하는 사람들이 아니라는 설명이었다.

가짜 문제는 근대에도 지속되었다. 20세기 벽두 한국 사회에서 가짜 지사假志士는 대단히 뜨거운 이슈였다. 대한제국 후기 실력을 양성해 국권을 회복해야 한다는 생각으로 사회라는 결사체가 조직되고 사회 사업을 수행하는 활동가가 출현했다. 이들을 지사라고 칭했다. 가짜 지사는 부정적인 모습을 하고 있는 변질된 지사를 일컫는 말이었다. 가짜 지사는 1908년 《대한매일신보》 지면에서 집중적으로 분출했는데, 같은 해 계봉우桂奉瑀가 《태극학보》에 발표한 〈사회의 가지사〉를 보면 이들 가짜 지사는 살갗은 신라의 박제상인데 창자는 송나라 한탁주 같은 사람, 말은 고려의 정몽주인데 마음은 진나라 조고 같은 사람으로 교육 한다 실업 한다 떠들면서 사회를 기반으로 정치 권력에 접근해 사리사욕을 채우는 부류였다.

가짜 지사만 문제인 것은 아니었다. 가짜 학술도 문제였다. 새 시대의 학술로 통용되는 '신학술'에도 어김없이 가짜가 발견되고 있었다. 신학술을 한다고 하지만 실심과 실학으로 이름난 사람을 찾기 어려운 세태, 이건방은 가짜로 신학하는 사람들의 문제점으로 부패한 구속을 고치지 못하는 동시에 좋지 않은 외래 풍습을 본받는 것을 비판했고 이들이 동서양의 장점은 버리고 천하의 단점만 모았기 때문에 한국의 학문이 혼란스런 상황에 빠졌음을 개탄하였다. 무엇이 문제였던 것일까?

가짜 신학의 문제점은 학문의 중심을 서양에 두고 이를 보편으로 맹신하며 중국과 조선의 학문에 대해서는 이를 차별하는 학문적 식민주의였다. 이를테면 맹자는 차이나China 사람이니까 학생 교육에 《맹자》를 사용하면 노예 성질을 기르고 조국 정신을 잃는다는 가짜 신학의 주장이 잘못인 이유는 원론적으로 보더라도 천하의 도는 동서양의 차이가 없기 때문에 《맹자》 역시 보편 학문에 도달하는 고전이 될 수 있음을 부정할 아무런 이유가 없기 때문이다. 똑같은 논법으로 학생 교육에 루소를 사용하면 노예 성질을 기르고 조국 정신을 잃게 되지는 않을까? 결국은 자승자박의 논리에 지나지 않는 것이다.

서양 학술도 중국 학술도 조선 학술도 천하의 도를 탐구하는 보편 학문이다. 서양 학술은 현재를 장악했고 중국 학술과 조선 학술은 과거로 밀려났다는 생각은 학문적 주체성과 학문적 보편성을 상실한 가짜 신학의 논리일 따름이다. 현재와 씨름하는 보편 학문으로서 유학의 실천성이라는 시각에서 본다면 한국 근대에 분출한 신학과 구학의 대립, 곧 현재의 서양 학문이냐 과거의 전통 유학이냐 하는 문제는 프레임 자체가 잘못된 것이었다. 이건방에게 유학은, 실심실학의 유학은 근대를 성찰하는 현재의 학문이었다.

참고문헌

1부 세상

제1장 개화 세상의 허실

1. 껍데기 개화는 가라(丁日宇, 《栗軒集》 〈開化〉)

丁日宇, 《栗軒集》 〈開化〉

丁日宇, 《栗軒集》 〈商賈〉

張志淵, 《韋菴文稿》 〈栗軒集序〉

《皇城新聞》 1906년 7월 6일, 논설 〈皮開化之大弊〉

《大韓每日申報》 1906년 1월 10일, 〈皮開化〉

김정희, 〈정봉태 구장본 중국 관련 문헌에 대한 시탐〉, 《중국어문논총》 23, 2002

노관범, 〈대한제국기 장지연의 자강사상 연구〉, 《한국근현대사연구》 47, 2008

2. 나는 수구, 세상에 저항한다(柳永善, 《玄谷集》〈野舍問答〉)

柳永善, 《玄谷集》 권9 〈新書論〉
柳永善, 《玄谷集》 권10 〈蘇學問答〉
李珥, 《栗谷全書》 권15 〈東湖問答〉
兪棨, 《市南集》 권17 〈江居問答〉
洪大容, 《湛軒書》 권4 〈醫山問答〉
柳麟錫, 《毅菴集》〈宇宙問答〉
柳麟錫, 《毅菴集》 권27 〈雜錄〉
田愚, 《艮齋文集後編》 권12 〈示子孫門人〉
田愚, 《艮齋文集別編》 권1 〈答某〉
李道復, 《厚山集》 권8 〈西湖問答〉
《大韓每日申報》 1906년 2월 7일, 〈西湖問答〉
《大韓每日申報》 1908년 3월 5일~18일, 〈西湖問答〉

제2장 사회 변화의 열망

3. 동학농민운동을 향해 묻는다(李觀厚, 《偶齋文集》〈甲午問答〉)

《太祖實錄》 권7 태조 4년 4월 4일 丁卯
《成宗實錄》 권9 성종 2년 2월 18일 辛酉
《中宗實錄》 권101 중종 39년 1월 1일 庚子

許筠, 《惺所覆瓿藁》 권11 〈豪民論〉
丁若鏞, 《牧民心書》 〈刑典六條〉
《大韓自强會月報》 6, 殖産部 〈槪說〉
이순근, 〈나말여초 〈호족〉 용어에 대한 연구사적 검토〉, 《성심여자대학교 논문집》 19, 1987
최종석, 〈나말여초 성주·장군의 정치적 위상과 성〉, 《한국사론》 50, 2004
배항섭, 〈19세기 후반 민중운동과 공론〉, 《한국사연구》 162, 2013
허수, 〈교조신원운동기 동학교단과 정부 간의 담론 투쟁〉, 《한국근현대사연구》 66, 2013
김정신, 〈16세기 조선의 관 주도 향정과 호강률〉, 《조선시대사학보》 87, 2018

4. 농부는 선비의 미래이다(孔學源, 《道峰遺集》 〈四民論〉)

尹愭, 《無名子集》 책13 〈峽裏閒話〉
俞漢雋, 《自著》 권16 〈送金嘉會大歸洪州序〉
金平默, 《重菴集》 권40 〈四民說〉
徐贊奎, 《臨齋集》 권11 〈雜記〉
李根元, 《錦溪集》 권16 〈士農工賈說〉
黃玹, 《梅泉集》 권5 〈絶命詩〉
《朝陽報》 1, 〈道德과 實業의 關係〉, 1906. 6.
《大韓自强會月報》 11, 〈生存의 競爭〉, 1907. 5.
《西友》 17, 〈實業論〉, 1908. 5.

《西北學會月報》 4, 〈我國의 富〉, 1908.9.

제3장 문물제도의 신설

5. **대한제국의 비원**(安鍾悳, 《石荷集》 〈昌德宮秘苑重修楣額楹聯榻本跋〉)

姜世晃, 《豹菴稿》 권4 〈扈駕遊禁苑記〉
《高宗實錄》 고종 41년 6월 4일
《皇城新聞》 1904년 8월 18일, 잡보 〈秘苑之印〉
《皇城新聞》 1904년 9월 20일, 잡보 〈兼任秘苑〉
홍순민, 《우리 궁궐 이야기》, 청년사, 1999
이정희, 〈대한제국기 원유회 설행과 그 의미〉, 《한국음악연구》 45, 2009
최두진, 〈춘당대가 지니는 시험장소로서의 역사적 변화 고찰〉, 《한국교육사학》 10, 2019

6. **개성박물관을 소개한다**(孫鳳祥, 《韶山集》 〈博物館記〉)

김영나, 〈한국미술사의 태두 고유섭: 그의 역할과 위치〉, 《미술사연구》 16, 2002
이순자, 〈일제강점기 지방고적보존회의 활동에 대한 일고찰〉, 《한국민족운동사연구》 58, 2009
노관범, 〈김택영과 개성 문인〉, 《민족문화》 43, 2014

노관범, 〈근대 초기 개성 문인의 지역운동〉, 《한국사상사학》 49, 2015
노관범, 〈근대 개성 문인 공성학의 지역 활동과 《춘포시집》〉, 《반교어문연구》 40, 2015
임나래, 〈일제강점기 개성·평양 부립박물관의 설립과 의의〉, 고려대 석사학위논문, 2015
김윤정, 〈1920~1930년대 개성 '지방의회'의 특징과 인삼탕 논의〉, 《역사연구》 37, 2019

2부 역사

4장 조선 말기의 기억

1. 조선의 말년사를 성찰한다(梁在慶, 《希菴遺稿》 〈國朝記事〉)

《皇城新聞》 1906년 4월 30일, 〈日本維新三十年史〉
《大韓每日申報》 1907년 7월 26일, 논설 〈大韓三十年間變亂歷史〉
《韓國痛史》 제3편 제42장 〈日人之監制韓皇〉
노관범, 〈《한국통사》의 시대사상〉, 《한국사상사학》 33, 2009
이예안, 〈대한제국기 유신의 정치학〉, 《개념과 소통》 14, 2014
허재영, 〈지식 수용의 차원에서 본 《황성신문》 〈일본유신30년사〉 역술 과정과 그 의미〉, 《한민족어문학》 70, 2015

장규식, 〈3·1운동 이전 민주공화제의 수용과 확산〉, 《한국사학사학보》 38, 2018

2. 광복의 역사를 만든 하늘의 뜻(金種嘉, 《立軒集》 〈書東鑑綱目後〉)

宋秉璿, 《淵齋集》 권18 〈繼開論〉
宋秉璿, 《淵齋集》 권24 〈東鑑綱目序〉
金在洪, 《遂吾齋集》 권9 〈東鑑綱目凡例節錄〉
金在洪, 《遂吾齋集》 권9 〈東鑑綱目前編凡例〉
金種嘉, 《立軒集》 권3 〈續東鑑綱目序〉
金種嘉, 《立軒集》 권4 〈東鑑綱目發刊通文〉
노관범, 〈19세기 후반 호서산림의 위상과 '정학' 운동〉, 《한국사론》 38, 1997
김경수, 〈《동감강목》의 사학사적 고찰〉, 《한국사학사학보》 3, 2001
박경목, 〈연재 송병선의 학맥과 민족운동〉, 《대동문화연구》 39, 2001
최성환, 〈한말 조선시대사 편찬의 동향과 《동감강목》의 영·정조대 서술〉, 《한국사학사학보》 28, 2013
김상기, 〈연재학파의 사상과 민족운동〉, 《한국독립운동사연구》 59, 2017

3. 왕정인가, 공화정인가(林翰周, 《惺軒集》〈續山中問答〉)

柳麟錫, 《毅菴集》 권12 〈與中華國袁總統-世凱〉

柳麟錫, 《毅菴集》 권25 〈與中國諸省士君子〉

柳麟錫, 《毅菴集》 권51 〈宇宙問答〉

曺兢燮, 《巖棲集》 권17 〈非共和論〉

李炳憲, 《中華遊記》

조승래, 〈공화국과 공화주의〉, 《역사학보》 198, 2008

박찬승, 〈한국의 근대국가 건설운동과 공화제〉, 《역사학보》 200, 2008

이영록, 〈한국에서의 민주공화국의 개념사〉, 《법사학연구》 42, 2010

김상기, 〈임한주의 사상과 독립운동〉, 《한국독립운동사연구》 47, 2014

김정인, 〈초기 독립운동과 민주공화주의의 태동〉, 《인문과학연구》 24, 2017

이경구, 〈조선시대 공화共和 논의의 정치적 의미〉, 《역사비평》 127, 2019

이기훈, 〈3·1운동과 공화주의〉, 《역사비평》 127, 2019

4. 신해혁명, 다이쇼 정변, 고종의 밀지(林炳贊, 《遯軒遺稿》〈管見〉)

신규수, 〈일제하 독립운동의 일사례 연구〉, 《사학연구》 58·59, 1999

박장배, 〈민국 초기 중국의 티베트 정책〉, 《동양사학회 학술대회 발표논문집》, 2006

요나하 준, 〈몇 가지 혁명의 사이에서〉, 《정치사상연구》 16, 2010

이준희, 〈20세기 초 몽골 민족주의의 전개〉, 《중국학논총》 32, 2011

한정선, 〈근대중국의 공화제 실험과 제국일본의 동요〉, 《중국근현대사연구》 53, 2012

최덕규, 〈신채호의 세계관과 제3차로일협약(1910~1912)〉, 《만주연구》 16, 만주학회

김종수, 〈돈헌 임병찬의 생애와 복벽운동〉, 《전북사학》 44, 2014

이성우, 〈1910년대 독립의군부의 조직과 활동〉, 《역사학보》 224, 2014

이형식, 〈조슈파 데라우치 마사타케와 조선 통치〉, 《역사와 담론》 91, 2019

6장 한국 독립운동의 현장

5. 서간도와 홍콩, 광복군 임경업(朴殷植, 〈韓僑祭林將軍記〉)

姜再恒, 《立齋遺稿》 권19 〈林慶業傳〉

黃景源, 《江漢集》 권13 〈明總兵官朝鮮國正憲大夫平安道兵馬節度使忠愍林公神道碑銘-幷序〉

成海應, 《研經齋全集》 外集 권36 〈風泉雜志〉

朴殷植, 《夢拜金太祖》

朴殷植, 《韓國痛史》

趙素昻, 《韓國文苑》

《香江雜誌》

백영서, 〈대한제국기 한국 언론의 중국 인식〉, 《역사학보》 153, 1997

배경한, 〈중국망명시기(1910~1925) 박은식의 언론활동과 중국인식〉, 《동방학지》 121, 2003

정양완, 〈경재 이건승 선생의 《해경당수초》에 대하여〉, 《한국양명학회학술대회논문집》, 2008

임학성, 〈20세기 초 서간도 거주 조선인의 거주 양태〉, 《한국학연구》 21, 2009

정문상, 〈근현대 한국인의 중국 인식의 궤적〉, 《한국근대문학연구》 25, 2012

황호덕, 〈정체와 문체, 대한민국임시정부의 언어정치학과 조소앙〉, 《사림》 45, 2013

노관범, 〈대한제국기 《황성신문》의 중국인식〉, 《한국사상사학》 45, 2014

이윤석, 〈표기 문자에 따른 텍스트 내용의 차이 양상〉, 《인문과학》 101, 2014

김호진, 〈범재 김규흥의 생애와 독립군 양성 계획〉, 《한국근현대사연구》 74, 2015

6. **고종독살설과 유림의 독립운동**(宋柱憲, 《三呼齋集》 권3 〈戊己事變示孝燮〉)〈朝鮮儒林獨立運動史略〉)

宋柱憲, 《三乎齋集》 권2 〈請亟復大位疏〉

宋柱憲, 《三乎齋集》 권3 〈西獄滯囚時言志〉

宋柱憲, 《三乎齋集》 권3 〈己未獨立後應行政七條〉

宋柱憲, 《三乎齋集》 권3 〈致大統領副統領書〉(1948. 11.)

宋柱憲, 《三乎齋集》 권3 〈致大統領書〉(1949. 5. 3.)

宋柱憲, 《三乎齋集》 권3 〈致大統領書〉(1949. 6.)

崔銓九, 《智隱集》 권2 〈乞定嗣垂統疏〉

《韓國獨立運動之血史》 下編 제4장 〈太皇之犧牲於獨立運動〉

《韓國獨立運動之血史》 下編 제6장 〈獨立本部之示威運動〉

박중균, 〈고헌 박상진의 생애와 항일투쟁활동〉, 《국학연구》 6, 2001

이성환, 〈간도문제와 '대고려국' 구상〉, 《백산학보》 74, 2006

이정은, 〈최초의 개업의 안상호의 생애와 활동〉, 《한국민족운동사연구》 53, 2007

서동일, 〈파리장서운동의 기원과 재경유림〉, 《한국독립운동사연구》 30, 2008

이태진, 〈고종황제의 독살과 일본정부 수뇌부〉, 《역사학보》 204, 2009

윤소영, 〈고종독살설과 3·1운동〉, 《내일을 여는 역사》 74, 2019

이영재, 〈3·1운동 100주년, 역사전쟁과 고종 독시〉, 《담론201》 22-2, 2019

정욱재, 〈일제강점기 송주헌의 생애와 활동〉, 《숭실사학》 45, 2020

7장 한문 서학서의 인식

1. 세계사를 성찰한다(權相奎, 《忍庵集》 〈書泰西新史後〉)

마르크 페로 지음, 박광순 옮김, 《새로운 세계사》, 범우사, 1994
김기협, 《밖에서 본 한국사》, 돌베개, 2008
타밈 안사리 지음, 류한원 옮김, 《이슬람의 눈으로 본 세계사》, 뿌리와이파리, 2011
비자이 프라샤드 지음, 박소현 옮김, 《갈색 세계사》, 뿌리와이파리, 2015
麥肯濟 著, 李提摩泰·蔡爾康 譯, 《泰西新史攬要》, 上海書店出版社, 2002
《皇城新聞》 1898년 11월 4일, 5일 別報
《皇城新聞》 1899년 7월 29일, 論說
노관범, 〈1875~1904년 박은식의 주자학 이해와 교육자강론〉, 《한국사론》 43, 2000
백옥경, 〈한말 세계사 저역술서에 나타난 세계인식〉, 《한국사상사학》 35, 2010
허재영, 〈광학회 서목과 《태서신사남요》를 통해 본 근대 지식 수용과 의미〉, 《독서연구》 35, 2015

2. **신학을 넓혀 구학을 돕는다**(李炳憲, 《李炳憲全集》 〈題美國進士李佳白氏新舊學說後〉)

田愚, 《艮齋文集前編》 권12 〈怵言〉

《독립신문》 1899년 8월 5일, 〈진보론〉

《독립신문》 1899년 8월 8일, 〈중흥론〉

《大韓每日申報》 1906년 2월 10일, 잡보 〈廣新學以輔舊學說〉

李天綱 編校, 《萬國公報文選》, 生活 · 讀書 · 新知 三聯書店, 1998

楊代春, 《《萬國公報》與晚淸中西文化交流》, 湖南人民出版社, 2002

王 林, 《西學與變法–《萬國公報》硏究》, 齊魯書社, 2004

鄭連根, 《那些活躍在近代中國的西洋傳敎士》, 新銳文創, 2011

차태근, 〈19세기말 중국의 서학과 이데올로기〉, 《중국현대문학》 33, 2005

노재식, 〈19세기 말 내화 선교사들의 유교에 대한 인식〉, 《진단학보》 116, 2012

노관범, 〈대한제국기 실학 개념의 역사적 이해〉, 《한국실학연구》 25, 2013

박형신, 〈영 J. 알렌의 〈만국공보〉에 관한 연구〉, 《한국기독교와 역사》 49, 2018

서울대학교 규장각한국학연구원 특별전시회 도록, 《규장각, 세계의 지식을 품다》, 2015

3. 바다에서 비추어 유학이 밝아진다(宋基植, 《海窗文集》 〈海窗說〉)

宋基植, 《海窗文集》 권5 〈儒教範圍說示丹陽經學生〉

宋基植, 《海窗文集》 권5 〈學說左右世界論〉

宋基植, 《儒教維新論》 제12장 〈現今各宗教와 及歐西各學說의 考證比例〉

금장태, 〈송기식의 유교개혁사상〉, 《퇴계학보》 112, 2002

이연승, 〈해창 송기식의 유교개혁론에 대한 소고〉, 《종교와 문화》 34, 2018

이현정, 〈한국 근대 유교 지식인의 '유교 종교화론'〉, 《한국사론》 66, 2020

서울대학교 규장각한국학연구원 특별전 도록, 《규장각, 세계의 지식을 품다》, 2015

4. 일본 유학이란 무엇인가(蔣華植, 《復菴集》 〈退陶詩辨疑〉)

蔣華植, 《復菴集》 권6 〈讀丁與猶堂集〉

蔣華植, 《復菴集》 권6 〈答朴聖中-丙子〉

朴章鉉, 《文卿常草》 〈讀尾藤二洲擇言〉

李德懋, 《青莊館全書》 권58 〈盎葉記(五)〉 〈日本文獻〉

丁若鏞, 《與猶堂全書》 文集 권12 〈日本論(一)〉

《大韓學會月報》7, 〈片紙感人〉 1908. 7.

《西北學會月報》 12, 〈退溪先生의 學이 行于日本者久矣〉 1909.5.

《大韓每日申報》 1909년 11월 28일, 〈今日 宗教家에게 要ᄒᆞᄂᆞᆫ바〉

《每日申報》 1916년 10월 25일, 〈朝鮮의 活字와 珍書〉

박훈, 〈19세기 전반 웅본번에서의 '학적 네트워크'와 '학당'의 형성〉, 《동양사학연구》 126, 2014

박은영, 〈요코이 쇼난과 구마모토 밴드의 '봉교취의서'〉, 《동아시아문화연구》 62, 2015

이효원, 〈비교사적으로 본 근세 일본의 퇴계학 수용의 두 방향〉, 《퇴계학논총》 28, 2016

성해준, 〈에도시대 유학자들의 퇴계학 전승과 그 학맥〉, 《퇴계학보》 141, 2017

엄석인, 〈구마모토 실학파의 퇴계학 수용과 영향〉, 《퇴계학논집》 23, 2018

9장 유학 전통과 현대

5. 유학의 도는 정덕인가 대덕인가(金允植, 《雲養集》 〈敦化論〉)

吳光運, 《藥山漫稿》 권15 〈皤溪隨錄序〉

安宗洙, 《農政新篇》, 申箕善, 〈農政新篇序〉

金允植, 《雲養集》 권9 〈曉諭國內大小民人-壬午〉

金允植, 《雲養集》 권10 〈大同教緒言序〉

朴殷植, 《謙谷文稿》 〈興學說〉
朴殷植, 《謙谷文稿》 〈宗教說〉
한우근, 〈개항 당시의 위기의식과 개화사상〉, 《한국사연구》 2, 1968

6. 가짜 신학문을 비판한다(李建芳, 《蘭谷存稿》 〈原論 下〉)

李睟光, 《芝峯類說》 권5 〈格言〉
李忠翊, 《椒園遺藁》 책2 〈假說〉
李忠翊, 《椒園遺藁》 책2 〈君子之過說〉
成大中, 《青城雜記》 권4 〈醒言〉
郭鍾錫, 《俛宇集》 권152 〈三愚金公墓表〉
李象秀, 《峿堂集》 권19 〈傳家雜訓〉
金洛鉉, 《間齋遺稿》 권4 〈屯塢集跋〉
洪顯周, 《智水拈筆》 권8 〈假道學〉
《太極學報》 25, 〈社會의 假志士〉, 1908. 10.
노관범, 〈회인 선비의 세상살이 성찰 26가지〉, 《문헌과해석》 44, 2008
김윤경, 〈이충익의 '가론'〉, 《동양철학연구》 73, 2013
한정길, 〈난곡 이건방의 양명학 이해와 현실 대응 논리〉, 《양명학》 51, 2018

국립중앙도서관 소장본

1부 1. 정일우, 《율헌집》

1부 3. 이관후, 《우재문집》

1부 4. 공학원, 《도봉유집》

1부 5. 안종덕, 《석하집》

1부 6. 손봉상, 《소산집》

3부 5. 김윤식, 《운양집》

국회도서관 소장본

2부 2. 《속동감강목》

2부 6. 송주헌, 《삼호재집》

3부 4. 장화식, 《복암집》

대한민국신문아카이브

2부 1. 《대한매일신보》 1907년 7월 26일

한국역대문집DB

1부 2. 유영선, 《현곡집》

2부 1. 양재경, 《희암유고》

2부 3. 임한주, 《성헌집》

3부 1. 권상규, 《인암집》

3부 3. 송기식, 《해창문집》

서울대학교 규장각한국학연구원 소장본

2부 4. 임병찬, 《관견》

연세대학교 동방학지 부록 영인

2부 5. 《향강잡지》

이병헌전서(아세아문화사 영인본) 해당 부분 필자 직접 촬영

3부 2. 이병헌, 《이병헌전서》

찾아보기

【ㄴ~ㄷ】

【ㄹ~ㅁ】

껍데기 개화는 가라 — 한국 근대 유학 탐史

2022년 4월 2일 초판 1쇄 인쇄
2022년 4월 9일 초판 1쇄 발행
글쓴이 노관범
펴낸이 박혜숙
펴낸곳 도서출판 푸른역사
우) 03044 서울시 종로구 자하문로8길 13
전화: 02)720-8921(편집부) 02)720-8920(영업부)
팩스: 02)720-9887
메일: 2013history@naver.com
등록: 1997년 2월 14일 제13-483호

ISBN 979-11-5612-217-3